D0305725

afgeschreven

open
bare **bibliotheek**
Staatsliedenbuurt

Piet De Loof
Ssst!

www.pietdeloof.be

Vanaf 14 jaar

© 2011 Abimo Uitgeverij
Europark Zuid 9, 9100 Sint-Niklaas, België
telefoon: 0032 (0)3-760.31.00 fax: 0032 (0)3-760.31.09
website: www.abimo.net
e-mail: info@abimo.net

Eerste druk: augustus 2011

Vormgeving
Klaas Demeulemeester/Rocio Del Moral

Cover:
Pjotr.be

NUR 284
D/2011/6699/101
ISBN 9789059327986

Niets uit deze uitgave mag, op welke wijze ook, worden overgenomen zonder de uitdrukkelijke schriftelijke toestemming van de uitgever.

VOORWOORD

"Ik ben zelf verliefd op een lief dat ik nooit zal liefhebben: de Stilte. Toen ik zelf muziek ontdekte; heb ik ze beluisterd, gegeten, gedronken, geconsumeerd als een bezetene. Vaak loeihard. Omdat dan werkelijk je hele lichaam voelt wat je oren horen. Intussen ben ik een bijna-veertiger en hunker ik soms als een junk naar momenten zonder geluid. En dat zal me nooit meer lukken. Mijn overconsumptie van muziek en lawaai heeft ook mijn oren deels verknald.

Geen drama; ik kan mijn radio-, podium- en televisiewerk nog altijd doen. Maar ik bescherm me intussen wel. Met lagere volumes, doppen, watten en peterselie indien nodig. Ik zal nooit een Soldaat Van De Stilte worden; maar wel een warme aanhanger van het motto: "*geniet, maar luister met mate*". Dit boek drukt je met je oren op de feiten. Een luide schreeuw van een net-niet dove generatie. Intussen blijf ik verliefd op dat lief dat ik nooit zélf zal liefhebben. Hopelijk heb jij meer geluk."

Peter Van de Veire, *mediaverschijnsel*

ERGENS TUSSEN

TUSSEN

29

EN 39

Ik dacht dat hij mij was vergeten. Ik hoopte het zelfs, tegen beter weten in. Als je daar zat, werd je niet vergeten. Hoe graag je het ook zou willen.

Ik zat er al tien minuten. Minstens. Het was er stil – ik heb daar nu eenmaal oor voor. Minder dan 39 decibel, schatte ik. Dat was stil, maar niet zo stil als thuis op mijn kamer. Daar was het 29 decibel, als er geen auto voorbijraasde en buurman Stef geen nieuwe cd had opstaan. Ergens tussen 39 en 29 decibel: zo luid was de stilte dus. Niet minder. 10 decibel? Nooit meegemaakt. 0 decibel? Bestaat niet. In een geluiddichte kamer hoor je nog altijd het kloppen van je hart en het bloed dat door je aderen jaagt. Dat beweren ze tenminste, wetenschappers, ik ben nooit in zo'n kamer geweest.

Onrust, ja. Mijn voeten haakten zich vast achter de poten van de stoel. Ik wilde opstaan, om die onrust te bedwingen. Even maar, de benen strekken, mijn rug rechten, een paar stappen en dan snel weer terug, wachten in die stilte tussen 39 en 29 decibel. Maar ik durfde niet. Ik kon beter gewoon blijven zitten. Opstaan zou misplaatst zijn, zelfs die enkele passen zouden getuigen van arrogantie. Alsof ik hier helemaal op mijn gemak was. Kin omhoog. Handen losjes in de zakken. Cool. Zelfverzekerd.

Ik was niet zelfverzekerd. Onder de indruk. En bang, dat ook. Bang voor wat er zou volgen, bang voor de gevolgen van wat er vanavond allemaal was gebeurd. Ik had het allemaal niet zo gewild, het was alleen maar...

Stilte.

Alleen maar... het gezoem van de computer die voor mij op het bureau stond. Nu en dan sloeg de ventilator ervan aan, maar niet voor lang, voor even, alsof zelfs de computer zich schaamde omdat hij die stilte tussen 39 en 29 decibel verstoorde.

Die typische kantoorgeur. De geur van koude koffie, papier, printers en oude computerschermen waarin stof verschroeit.

Vrijdagavond.

Ik slikte iets weg, een krop in mijn keel.

Ik keek rond in de kamer. Nog maar eens. Twee bureaus, elk met een computer erop. Hopen papier, dossiers, mapjes, uitgeprinte mails, enveloppen, een tijdschrift. Pennen en potloden tegen elkaar aangeleund in een hoog glas met opdruk *Bezoek Texel – Vier het leven.* Een reclamefoldertje: *Meistersinger – het enige horloge met één wijzer.* Een kapstok. Een vuilnisbak. Een poster van *Lost.* Een prikbord met een rooster op A3-formaat – een dienstrooster, leek het me. Achter mij hingen zwart-witprints aan de muur. Een foto van een meisje, frontale close-up, brutale blik, vranke mond. Ze is wie ze is en zal voor niemand iemand anders zijn. Een jongen met een lang gezicht, harde blik, versteend in de lens. Hij heeft lak aan iedereen en waag het niet hem iets in de weg te leggen. Zouden ze samen op de vlucht zijn?

Een andere poster aan de muur: 'Kies voor een job bij de politie'. Die leek overbodig. Wie daar zat, had al een job bij de politie of kwam er wellicht niet meer voor in aanmerking.

CSI: Miami. Flikken. Beelden uit politieseries slopen door mijn hoofd. Op tv waren ondervragingen opwindend en ruig. De verdachte werd in een kamertje geduwd met alleen wat stoelen, een tafel en daarboven een hanglamp. Uitdagend leunde hij achterover. Dat ze hem toch niets konden maken, snoof hij. Eén van de agenten werd kwaad, gooide een stoel omver en soms ook de tafel. Tegenover de verdachte hing een grote spiegel, die eigenlijk een halfdoorzichtig raam was. Daarachter stonden nog meer agenten - vertrekkensklaar; ze hoopten dat de arrestant tijdig zou verklappen waar hij het meisje had opgesloten.

Hier was geen spiegel. Dit was een doodgewoon kantoortje met twee bureaus. Hier werd ook niet geroepen of geschreeuwd en hier werden geen stoelen omvergegooid. Hier was alleen maar stilte, de stilte waar ik zo van hield.

Voi hitto!

Mijn gedachten scheerden langs die twee woorden en sneden zich eraan als aan een mes – zo diep kerfden ze in mijn gedachten.

Voi hitto!

zei Alina. Alina was Fins en ze sprak zo goed Nederlands als je maar wilde, maar vloeken deed ze nog altijd in het Fins. Boos ben je in je moedertaal, voor altijd. *Voi hitto*! Je moest het in één adem uitspreken, alsof je iets uitspuwde.

Zou ze oké zijn, Alina?

(Weer sneden mijn gedachten zich aan iets scherps.)

Klik.

De deur ging open. Een agent kwam binnen, in zijn hand een bekertje koffie. De deur viel achter hem dicht, geruisloos, net zoals de kasten en laden in onze keuken. De agent ging achter de tafel zitten. Hij keek naar het computerscherm, toen naar mij.

'Ja', zei hij toonloos.

Hij klemde zijn onderlip op zijn bovenlip en klikte op de computermuis.

'Zo', zei hij zacht, zonder naar mij op te kijken. En na enkele tellen: 'We gaan alvast een paar gegevens invullen, goed?'

Het leek mij geen vraag waarop de agent een antwoord verwachtte. Ik hoopte alleen maar dat hij niet zou gaan brullen; van brullen krimp ik in elkaar - van álles dat veel lawaai maakt.

De agent tikte op de muis, gromde iets over een foutmelding en tikte nogmaals op de muis, harder nu, met het topje van zijn wijsvinger. Hij heette Edward Martin, dat had ik gezien op een uitgeprinte e-mail die op zijn bureau lag – ik ben nogal nieuwsgierig, ja.

Edward hield het bekertje koffie tussen duim en wijsvinger. Hij dronk met getuite lippen één lange teug, waarbij hij meer lucht zoog dan koffie. Hij zette het bekertje neer. Hij glimlachte: de slok koffie had hem duidelijk goedgezind gemaakt.

'Zo,' zei hij nogmaals, 'identiteitskaart graag.'

Een ogenblik zat ik hem als verlamd aan te kijken.

'Je identiteitskaart', herhaalde de agent. 'Heb je die bij je?'

'Euh, nee. Sorry.'

(Was dat eigenlijk nodig, 'sorry' zeggen tegen de politie? Misschien een dwaze vraag, maar zulke dingen vroeg ik mij af, die eerste momenten van het verhoor.)

'Je hebt hem niet bij je', vatte de agent samen.

'Nee…'

'Een identiteitskaart moet je áltijd bij je hebben als je je op straat begeeft', dreunde de agent op, en hij zuchtte. 'Heb je iets anders bij je dat je identiteit bewijst? Een rijbewijs voor een brommer?'

'Heb ik niet.'

'Een studentenkaart dan? Lidmaatschapskaart van de bibliotheek?'

'Ja, die heb ik bij… Of nee, die heb ik uitgeleend. Aan Max', voegde ik er aan toe, meer voor mezelf dan voor hem.

'Wie is Max? Een medeplichtige?'

Páts.

Het woord medeplichtige kwam hard aan, als een druppel ijswater die van een dakgoot recht in je nek valt. *Medeplichtige.* Dat klonk alsof ik een crimineel was. Een echte.

'Gewoon, een vriend', zei ik haastig. 'Iemand uit mijn klas', legde ik zelfs behulpzaam uit. Ik wilde niemand in de problemen brengen. Ik had er zelf al genoeg.

'Oké dan, zég me dan maar gewoon hoe je heet.'

Naam. Adres. Geboortedatum. En nog meer van die dingen. Agent Edward tikte het allemaal in. Hij vroeg de meisjesnaam van mijn moeder en de voornaam van mijn vader – hij zag die blijkbaar voor zich op het scherm staan - om te controleren of ik geen valse gegevens opgaf. Tussen mijn adres en geboortedatum keek hij me enkele seconden aan. Het leek alsof hij me iets wilde vertellen, iets persoonlijks, iets vaderlijks, iets wat hij helemaal niet hoorde te zeggen als agent, maar hij zweeg en dronk nog een slok koffie.

'Wil je een verklaring afleggen, over vanavond?'

Ook het woord verklaring prikte in mijn oren en mijn hoofd. Het klonk zo officieel. Zo echt.

Ik haalde mijn schouders op. Dat was eigenlijk een 'ja'.

'Of beter: een verklaring over vanavond én over de voorbije weken. Ik zou, als ik jou was, nu gewoon meewerken', zei Edward, die mijn schouderophalen als een afwijzing zag. 'Meewerken, en hier en nu een verklaring afleggen.'

Bij 'hier' en 'nu' tikte de agent met zijn wijsvinger op de tafel.

Hier. En. Nu.

'Het was allemaal niet zo bedoeld,' begon ik, 'wat er vanavond is gebeurd, ik had nooit de bedoeling om... Je weet wel.'

'Dat mag ik hopen, ja.'

Agent Edward dronk van zijn koffie en tikte nog iets op het toetsenbord van zijn computer. Hij zou me eerst mijn rechten voorlezen, zei hij. Dat deden ze blijkbaar niet alleen op tv.

'Wenst u zich uit te drukken in het Nederlands of in een andere taal? En wenst u die taal ook te gebruiken in de rechtbank?'

Rechtbank? Weer die druppel ijswater.

'Ja', zei ik, ik zei op alles ja — er volgde nog zo'n vraag of vijf, maar ze gingen aan mij voorbij.

'Goed', zei de agent. 'Het woord is aan jou. Ik luister.'

Het woord was aan mij. Hij luisterde.

Het duurde nog even, een paar seconden waarin ik langs de agent heen door het raam keek, naar de auto's die op de stadsring voorbijgleden. Seconden waarin gedachten en beelden vochten om aandacht; gedachten van spijt, beelden van een blond meisje en van schreeuwende mensen. Nog voor ik één woord had gezegd, wist ik dat ik de agent alles zou vertellen. Alles. 'Eigenlijk', zo begon ik, de klank van dat eerste woord aftastend als de eerste steen van een gammel paadje over een afgrond, 'is het begonnen in een put.'

DE
PUT

Ik was acht. Ik was aan zee met mijn ouders en met duizenden anderen, op een zinderende zomerdag. Op het strand leek elke vierkante meter ingenomen; het was een mierennest van handdoeken, parasols, koelboxen en glimmende ruggen en buiken die door de zon werden geroosterd. De hitte benam je de adem, en dan die geur: de geur van heet zand en zonnecrème vermengde zich met die van wafels en friet. Het geluid, vooral dat. Elke tien vierkante meter strand leek zijn eigen geluidsinstallatie te hebben. Die werd flink hard gezet om boven de muziek op de naburige tien vierkante meter uit te komen. Het was een kakofonie van muziek en opgewonden getater en geschater. Je hoorde amper nog de zee ruisen – een geluid dat ik zo mooi vond.

Ik begon een put te graven.

Ik groef en ik groef. Dieper en dieper - het moest mijn diepste put ooit worden, meer dan een meter diep, zodat ik er helemaal rechtop in kon staan.

Ik groef en ik groef. Dieper en dieper. Het zand aan mijn voeten werd almaar killer en natter.

Ik groef en ik groef.

'Let maar op, zo gebeuren er ongelukken', zei mijn moeder, zonder op te kijken van haar damesblad – *'Ben jij hoogsensitief? Doe de test!'* Een frisbee scheerde rakelings over haar hoofd. 'En ik heb geen zin om je uit te graven', gromde mijn vader, ook al zonder op te kijken van het sportkatern van zijn krant – *'Topper onder hoogspanning'.* Twee jongetjes sprongen over zijn benen een bal achterna.

De put was klaar. Als ik erin stond, kwamen alleen mijn haar en voorhoofd nog boven het zand uit. Ik kon er ook in neerzitten, een meter diep tussen het klamme zand, beste klasgenoten.

(Even een stilte laten voor het effect.)

Het was won-der-baar-lijk. Toen ik neerhurkte, viel alle geluid weg. Ik hoorde bijna níéts meer. Geen muziek, geen geschreeuw, geen drukte. In mijn put was het doodstil. Wel een volle minuut zat ik daar. Verwonderd, ademloos. Ik had de stilte ontdekt, daar waar je ze het minst zou verwachten: op een overvol strand. Ik proefde de stilte als een bijzondere smaak, met al mijn zintuigen.

Toen stond ik op uit de put, het licht tegemoet. Ik ging op de toppen van mijn tenen staan, mijn neus tot aan het zand. Even snel als de stilte over mij heen was gevallen, kwam ik terug in een wereld vol lawaai. Het geluid spoelde over me heen zoals het zeewater over een schelp. Ik ging weer zitten en weg was het lawaai. In een vingerknip.

(Het ging goed. Ik sprak niet eens te snel en mijn stem, die in het begin hoorbaar beefde, was nu weer rustig. Articuleren, Ludovic. Niet te veel aarzelen, maar toch een beetje. Anders leek het te bestudeerd. Wat achteloos, dat was ideaal, alsof je ter plaatse nog woorden en zinnen zocht en die ook vond.)

Een keerpunt in mijn leven, dat is dit jaar het thema van onze spreekbeurt. Wel: die dag aan zee was voor mij een keerpunt. Sinds die dag wist ik wat échte stilte was, en daardoor wist ik ook wat lawaai was. En hoeveel lawaai was er niet in de wereld. Toen we naar huis reden, leek alles veel te luid. Auto's die claxonneerden, bussen die met knarsende remmen langs me heen denderden, de airco in de auto die op volle toeren draaide om het koeler te maken. En waarom zette pa de autoradio zo hard? Hoe schreeuwerig, die radioreclames voor internetbanken en digitale tv. Mijn oren leken gevoeliger dan voorheen - ook toen we thuiskwamen. De mixer, de stofzuiger, de broodsnijmachine, de afzuigkap, de tv die luider moest om boven het geluid van de afzuigkap uit te komen. Overal was er lawaai.

Zelfs muziek was soms lawaai. Ik merkte het op pleinen in de stad, in winkels waar radio's schetterden en enkele maanden later ook op het verjaardagsfeestje van een vriend. Zijn ouders hadden een tent gehuurd en er speelde een muziekinstallatie. Hard. Keihard. Het dreunde door mij heen alsof iemand met een hamer op mijn hoofd ramde, maar iedereen sprong uitgelaten in het rond. Toen ik vroeg om de muziek wat zachter te zetten, vond iedereen mij een zeur die geen plezier wilde maken – de meisjes lachten mij uit.

(Gegrinnik achterin de klas.)

Een paar jaar geleden mocht ik met mijn vader mee naar een concert, in het Concertgebouw aan Zee. Er speelden die dag twee groepen die ik erg graag hoorde. Maanden had ik naar het concert uitgekeken, en toch werd het een enorme ontgoocheling. Niet omdat de muziek niet goed was, o nee. Er was maar één probleem: de muziek was ongelooflijk luid, ze werd uitgebraakt door metershoge geluidstorens die aan beide zijden van het podium stonden. Het was een tsunami van geluid die over het publiek spoelde, en daarin ging alle schoonheid verloren: de stemmen, de instrumenten, alle melodieën, mooie woorden en sferen. De muziek waar ik van hield, klonk live zo kunstmatig, zo opgefokt, zo onecht. Na twee uur stonden we buiten, voor de trappen van het Concertgebouw aan Zee. In de verte hoorde ik de zee ruisen en nooit vond ik dat geluid zo mooi en zo troostend als toen. Ik dacht terug aan hoe ik als kleine jongen op het strand een put had gegraven die zo diep was dat ik er de volmaakte stilte in had gevonden. Mijn oren gonsden, alsof er heel diep twee proppen zaten die almaar groter werden, tot mijn oren zouden barsten. Ik was bang dat er iets aan mijn oren scheelde. Ik durfde er niets over te zeggen – ik wou niet flauw lijken. De hele weg terug had ik dat drukkende gevoel in mijn oren. Pas toen ik thuis op mijn kamer kwam, werd het minder erg. De stilte deed goed. Ik viel in slaap en de volgende morgen was dat akelige gevoel weg.

De dag erna dacht ik aan wat je tegenwoordig hoort en leest over te luide concerten en gehoorschade. Ik vond het een treurige gedachte: dat ik mijn oren zou hebben kapotgemaakt door naar een concert te gaan, een concert met mijn favoriete muziek nog wel.

Na dat concert heb ik iets gekocht.

(Even wachten voor het effect en intussen in mijn broekzak graaien.)

Oordopjes!

(Ik hield twee oordopjes in de lucht. Opnieuw gegrinnik achterin. 'Ssst!' deed Vos.)

Ik gebruik ze elke nacht, om te slapen. En sinds we een nieuwe buurman hebben, soms ook overdag. Met deze oordopjes maak je je eigen stilte, hiermee blijf je baas over je eigen oren. Je leert opnieuw échte stilte kennen, zonder dat je aan zee een diepe put hoeft te graven, en dan besef je hoeveel lawaai we als vanzelfsprekend beschouwen: thuis, op straat, in winkels, overal.

(Rustig afronden nu.)

Meer stilte en minder lawaai, daar wilde ik in deze spreekbeurt voor pleiten. Hoe minder er is om naar te luisteren, hoe beter je kunt horen. Hoe beter je alle mooie geluiden om je heen kunt horen. De ruisende zee, de natuur, de stem van iemand die je graag mag en natuurlijk: muziek, want dat blijft toch de mooiste vorm van geluid.

Mevrouw, beste klasgenoten, bedankt voor uw aandacht.

Mevrouw Vos kwam met haar typische anderhalve huppeltje naar voren, die akelig enthousiaste *move* waarmee ze ook herhalingstoetsen, groepswerken en examens aankondigde.

'Dank je, Ludovic,' zei ze, 'dat was heel... euh... bijzonder. Origineel.' Terwijl ik op mijn plaats ging zitten, draaide ze zich een kwartslag naar de klas en vouwde plechtig haar handen. 'Vinden jullie dat Ludovic gelijk heeft? Is er te veel lawaai in de wereld? Hebben we te weinig oor voor... de stilte?'

Ik keek voor mij uit – dit onderdeel van een spreekbeurt was altijd zo gênant.

Thijs, onvermoeibaar als altijd, stak als eerste zijn hand op. 'Ik denk dat Ludovic wel een punt heeft, maar...'

'Hij overdrijft', haakte Dieter in.

En daar kwam ook Evelien, die als altijd in geitenwollensokkentermen sprak: 'We leven nu eenmaal met veel mensen bij elkaar in dit kleine landje. En waar mensen zijn, wordt.. euh... *gemenst.*'

Dieter mengde zich er weer in: 'Je moet ook iets kunnen verdragen van een ander, natuurlijk. Oordopjes om je buurman niet te horen – ik weet het niet hoor... Je kunt toch niet van je buurman verwachten dat hij de hele dag stil op de bank zit? En wat die luide muziek betreft: het is toch juist tof om op je kamer de muziek hard te zetten? Dat doet iedereen toch wel eens? Je kikkert er helemaal van op!'

Ik moest denken aan buurman Stef, hoe die elke avond opkikkerde.

Vos was zichtbaar tevreden over de vele reacties. 'Nog iemand die iets wil zeggen over dit thema? Sander? Kris? Max?'

Max zat duidelijk met zijn gedachten elders, in *World of Warcraft* wellicht. Op zijn T-shirt prijkte het opschrift *'Sad music makes me happy'.*

'Alina, jij?'

Alina, jij?
'Wel... Ik vind ook dat de wereld lawaaierig is, en dan vooral hier, in dit land. Dat viel mij heel erg op, de eerste maanden dat ik hier was. In Finland is het veel stiller.'

'Er wonen gewoon veel minder mensen', wierp Dieter op. 'Voor de rest zijn er in Finland alleen bossen en meren. En sauna's.'

'En toch... Weet je, mensen hebben er gewoon meer respect voor elkaar', probeerde Alina nog. 'Ze waken erover dat ze een ander niet storen. Er is veel meer rust. En Ludovic heeft gelijk: luide concerten maken je oren kapot.'

Vos rook haar kans: 'Ja, inderdáád! Hoe zit het met het geváár? Kan te luide muziek onze oren beschadigen? Ludovic, heel goed dat je dat aspect ook even hebt aangeraakt.'

Vos vond altijd wel een aspect dat moest worden aangeraakt. Ze wilde altijd maar dingen aanraken. 'Gehoorschade dus. Iedereen kent het gevaar, neem ik aan, maar waarom luisteren we toch zo graag naar luide muziek? Wie wil daar iets over kwijt? Korneel, jij?'

Ai. Korneel. Hij zou ongetwijfeld weer de pientere uithangen. Korneel wist alles beter, vooral over muziek, en dat was nog het ergste. 'Wel, ik heb ergens gelézen' – Korneel had ook altijd ergens iets gelezen - 'dat we zo graag naar luide muziek luisteren omdat er dan in onze hersenen een stof vrijkomt die ons blijer maakt. Dus eigenlijk zou je kunnen zeggen dat muziek een soort drug is.'

'Kijk eens aan, muziek als drug', kirde Vos. 'Interessant, Korneel, hóógst interessant.'

Korneel leunde zelfgenoegzaam achterover en duwde zijn grote zwarte brilmontuur wat hoger op zijn neus. Mensen die alles beter willen weten, dragen vaak zo'n bril, echt.

'Je hoort wel eens vertellen over gehoorschade, maar dan moet je al héél lang naar héél luide muziek luisteren', sprak Dieter voor zich uit. 'Of voortdurend het niveau van je iPod naar het maximum draaien.'

'Dat weet ik niet', pikte Alina weer in. 'Misschien zouden we wel verrast zijn als we zouden weten hoevéél jongeren al niet meer horen zoals zou moeten. Misschien zelfs in deze klas...'

Ze leek te aarzelen.

Zeg het niet, dacht ik, zeg het niet.

Ze zei het niet.

De bel ging.

'Ai, die bel, toch niet te luid voor jou, Ludovic?' riep Kris. Iedereen grinnikte. Ook Vos, die boven het gestommel uitriep: 'Vergeet het gedicht niet!'

'En?'

Alina borg haar agenda op en haar pennendoos, een herinnering aan Finland te oordelen naar de namen die vroegere klasgenoten erop had achtergelaten. *Petteri. Tiina. Jaako. Sanna.*

'Het was oké hoor. Mooi verhaal, dat van die put. Hoewel…'

'Ja?'

'Ik vond het misschien een beetje lang.'

Je kon Alina beter mijden als je naar een complimentje hengelde. Ze was pijnlijk eerlijk — mooi maar meedogenloos.

We liepen de klas uit, de trap af tot beneden aan de dubbele deur, waar Dieter in zijn rugzak scharrelde. 'Hé, komen jullie mee naar de Cicero, straks?'

'Wat is de Cicero?'

'Een café', zei ik haastig – ik speelde graag gids voor Alina. 'Op vrijdag na school gaan de meesten daar nog een glaasje drinken. Om het weekend goed in te zetten.'

'Goh, ja, ik weet het niet… Volgende week misschien.'

'Het is op de Botermarkt – je ziet maar. En jij, Ludovic? Of staat de muziek daar ook te luid?'

'Grappig, Dieter. Je weet dat zoiets mijn ding niet is.'

Dieter verdween, een liedje neuriënd dat ik herkende maar niet kon benoemen. (Wat haatte ik dat.)

'Ik dacht dat je het zou verraden, van onze gsm's, na de spreekbeurt.'

'Waarom zou ik? Natuurlijk niet... Ik vind het ook best handig, hoor, die beltoon.'

Alina toverde haar stralendste Finse glimlach tevoorschijn: fel en doordringend maar ook een beetje kil. 'Tot morgen.'

'Tot morgen!' riep ik haar na. En na enkele seconden aarzelen: *'Huomiseen!'*

Ze stopte, keerde op haar stappen terug. 'In het Fins ligt de klemtoon altijd op de eerste lettergreep, Ludovic', zei ze geamuseerd. 'Op *'huo'*, niet op *'seen'*. Maar... niet slecht voor een eerste Fins woordje.'

Ik kende er nog meer, maar dat zei ik niet.

Musiikki. Muziek.

Nimeni on Ludovic. Ik heet Ludovic.

En nog een paar woordjes, zomaar wat woordjes en zelfs een hele zin, zes woorden lang – ik fluisterde ze met de wind mee terwijl ik Alina zag wegfietsen:

Alina, rakastan sinua, olen rakastunut sinuun.

Alina Paasilinna – klemtoon op de eerste lettergreep – was sinds dit schooljaar nieuw in onze klas. Zij had haar spreekbeurt al gegeven. Het keerpunt dat ze beschreef, was de dag dat ze met haar ouders vertrok uit Finland. Drie jaar geleden was dat, omdat haar vader hier een droomjob kreeg in opdracht van Nokia. Ze vertelde over haar vaderland met die lieve blos omdat ze wat verlegen was en nu en dan een Fins woord om dezelfde reden. Dat Finland het land van rust was, zei ze. Een land van idyllische stilte die door de Finnen werd gekoesterd. 'Als mensen samenkomen, luisteren ze soms gewoon samen naar muziek, zonder dat ze veel hoeven te zeggen. Je ziet er mensen zwijgend tegenover elkaar zitten. Ze genieten van het samenzijn - hun stilte is een teken van respect.

Rust en stilte zijn belangrijk, daarom hebben zoveel Finnen een zomerhuis op het platteland.'

Ademloos staarde ik naar de Powerpointpresentatie waarin de verstilde Finse natuur zich in al haar pracht ontvouwde. Eindeloos uitgestrekte bossen, landschappen vol onberoerde sneeuw, helblauwe luchten en een almachtig lijkende zon. En water, veel water. 'Ze noemen Finland soms het land van de duizend meren, maar dat is fout: het zijn er 188.000.'

Alina toonde de vesting van Suomenlinna, de huizen in Oud Rauma en de huizenhoge vreugdevuren in de midzomernacht, die magische nacht waarin het onmogelijke mogelijk werd. En toen, tussen twee Powerpointslides in, toen begon de muziek. Het was muziek die ontstond uit stilte, stilte met een infuus van gefluister en zacht geroffel. Het volgende beeld was dat van een man van misschien 30 jaar, gekleed als hardrocker, met een hanenkam en een mouwloos leren vestje die in een wolk van rook vooraan op een donker podium zat. Hij worstelde met een accordeon terwijl hij neuriede en kreunde. Alina keek naar onze verbijsterde gezichten en zei: 'Dit is Kimmo Pohjonen, onze Finse muzikale held. Je zou denken dat een accordeon een oubollig instrument is, maar in de handen van Kimmo wordt een accordeon alle instrumenten tegelijk.' Een paar tellen later baadde het podium plots in licht, dat achter de stampvoetende accordeonist een volledig orkest onthulde. Het ritme werd heftig, hortend, woest. De muziek stoomde door naar een gigantische climax, die nog in mij nazinderde toen Alina haar spreekbeurt afsloot met enkele zinnen in het Fins. Het was een taal vol grappige klinkers, tegen elkaar opbotsende klanken en onverwachte stembuigingen. De taal had iets duisters maar ook iets grappigs. Zelfs haar taal was muziek.

'Kijk uit, dromer!' Korneel zoefde me rakelings voorbij op zijn brommer. Achteraan op zijn helm prijkte een sticker van een obscuur popgroepje dat hij 's zomers in Berlijn was gaan bekijken. *Alina, rakastan sinua, olen rakastunut sinuun.*
Ik zei het nogmaals, hardop in mezelf, toen ik naar huis liep door de straten van de stad die ik zo goed kende, tevreden met de spreekbeurt die zo goed was gelopen, tevreden met het najaarszonnetje dat september de allures gaf van juni. Ik liep winkels in en uit, zomaar zonder doel. Ik bekeek dvd's, USB-sticks, laptops, gsm's. Etalages met schoenen, kunstboeken, jeans, Italiaanse spe-

cialisten – *Salami Cacciatore.* Muziek waaide je tegemoet als je voorbij de winkels liep – in elke winkel speelde muziek. Ooit, zo bedacht ik, moest een mens moeite doen om muziek te horen. Door weer en wind naar een concertzaal of urenlang zoeken naar die ene grammofoonplaat. Mijn eigen pa zat als tiener aan een radiootje gekluisterd, te wachten tot zijn favoriete muziek werd gespeeld en hij die kon opnemen op een cassettebandje. Dat was vroeger. Nu moest je moeite doen om géén muziek te horen, want overal werd die je opgedrongen. In winkels, in de auto, op de wekkerradio, in stations, in restaurants, in fabriekshallen, op pleinen, op terrassen, in parkeergarages, in sportclubs, in de metro, zelfs aan de telefoon als je moest wachten. Mu-ziek werd ik ervan. Ik hield te veel van muziek om die altijd en overal te willen horen.

Er was te veel muziek. Er was te veel lawaai.

Misschien lag het aan mij. Ik hoorde te veel, ik hoorde te goed. Mijn gehoor was feilloos, omdat ik nu eenmaal goede oren had geërfd, maar ook omdat ik lawaai altijd uit de weg was gegaan. Niets had mijn gehoor aangetast en daar was ik best trots op – het had ook alleen maar voordelen. Ik hoorde alles wat men in mijn buurt vertelde, ook als klasgenoten elkaar tijdens toetsen de antwoorden toefluisterden. Aan feesttafels volgde ik drie gesprekken tegelijk. Ik hoorde muziek zo rijk als ze was bedoeld: elk instrument, elke stem, elke kleur. Op mijn gsm had ik een Mosquitobeltoon gedownload. 'De beltoon die volwassenen niet kunnen horen', luidde het op de website. 'Door ouder te worden – of door gehoorbeschadiging – hoor je almaar minder hoge tonen. Deze Mosquito ligt buiten het gehoorbereik van iedereen ouder dan 30. Handig voor in de klas: zo hoef je de gsm nooit meer op stil te zetten of uit te schakelen.'

De ringtone was hoog en ijl, aan-uit, aan-uit, als de waarschuwingstoon waarmee een vrachtwagen achteruitrijdt, maar dan hoger en zachter. Eerst had ik hem thuis getest: ma en pa hoorden hem inderdaad niet. In de bibliotheek: niemand keek op. Toen deed ik de test in de klas, op gevaar af mijn gsm te moeten inleveren als ik werd betrapt, maar geen enkele leraar hoorde de toon, daarvoor waren ze te oud. Zelfs onze muziekleraar Floris leek niets te horen. Hij was amper 22, maar speelde in een rockbandje en liep met een kanjer van een hoofdtelefoon door de stad – Floris was een leraar die zodanig hip wilde zijn dat het zielig werd. Het klopte wat er op de website *Free Mosquito Ringtones* werd beweerd: leraars hoorden de beltoon niet meer. Zij niet alleen. Ik ontdekte dat bijna niémand hem nog hoorde, zelfs mijn klasgenoten niet, voor wie hij eigenlijk was bedoeld. Niemand reageerde toen ik tijdens Wiskunde de beltoon uittestte – Lievens legde net uit waarom merkwaardige producten zo merkwaardig zijn. Tijdens Frans: niemand bewoog. Tijdens Fysica, de dag nadien: niemand. Of toch: Kaat en Eline keken even op – zij leken iets te horen en zochten waar dat vreemde gepiep vandaan kwam. En Alina, zij hoorde de Mosquito's ook, bijna even goed als ik.

'Wat zit je nu toch de hele tijd te knoeien met die beltonen? Gisteren bij Frans, en daarnet bij Fysica ook al. Hoe irritant, dat hoge gepiep.'

'Jij hóórde het dus? Ook gisteren, tijdens Frans?'

'Dat zeg ik toch.'

'Dan hoor je nog zeer goed, bijna perfect.'

'Tja… Is dat zo bijzonder?'

'Duidelijk wel. Bijna iedereen van 16 jaar zou die ringtone moeten horen – daarvoor is hij ook gemaakt. Maar heb je het gezien? Wij zijn bijna de enigen die het nog horen. Dat wil zeggen dat de meesten het gehoor van een 25-jarige hebben. Of erger.'

'Tja, maar wat ben je ermee?'

'Ik hoef mijn gsm nooit uit te zetten. In de klas hoor ik een sms meteen binnenkomen. Kan ook handig zijn tijdens een moeilijke toets…'

'Hmm… Kan interessant zijn. Ik wil die ook wel, die ringtone.'

'En zo goed horen heeft nog een voordeel…'

'Ja?'

'Wij kunnen muziek nog horen zoals ze écht is bedoeld. Die Kimmo Pohjonen, die muziek die je liet horen tijdens je spreekbeurt, zoals die begon, vanuit stilte – alleen wij horen dat nog. Wij kunnen nog echt genieten van… Zie je, Alina, wij… Wij…'

'Ja?'

'Alina… Natuurlijk…'

'Wat?'

'Dat ik er nog niet eerder aan gedacht heb…'

'Wát?'

'Ik mail je vanavond een mp3'tje. Je zal het prachtig vinden. Echt!'

Für Alina – zo heette de extreem trage pianomuziek die ik had ontdekt. Het was muziek waarin de stiltes nog belangrijker waren dan de klanken van het instrument. In die stiltes klonk het ene akkoord nog even na, als een smaak in je mond tussen twee happen. Elk klank was een melodie op zich. Het was geweldige muziek; ik had de partituur ervan op internet gezocht omdat ik wilde zien wat ik hoorde. Ze hing voor mij op mijn prikbord: amper twee A4-velletjes, welgeteld 132 noten. De meeste uitvoeringen duurden tussen twee en drie minuten, maar er waren ook pianisten die er meer dan tien minuten over deden: die speelden het hele stuk gewoon vier keer na elkaar. Je merkte het niet eens; het was muziek met een eigen tijd.

Ik had nog nooit muziek gehoord die zo veel kon zeggen met zo weinig klanken.

Für Alina – hoe toepasselijk. Geschreven door een vreemde snuiter geheten Arvo Pärt, uit Estland. Dat was vlakbij Finland – het kon geen toeval zijn.

Ik mailde het mp3'tje naar Alina; ik stelde me voor hoe ze zou worden verrast door die geladen stiltes tussen de klanken door, klanken die eindeloos lijken na te galmen en die alleen wij helemaal konden horen. Muziek was het mooist als je ze net ontdekte, als de juiste muziek je op het juiste moment trof en verbluft achterliet. Je wilde ze meteen opnieuw beluisteren, wel honderd keer. Ergens probeerde je dat niét te doen, want je wilde niet dat je die mooie muziek meteen weer beu werd, maar het was sterker dan jezelf. Je luisterde, altijd maar weer. Ook Alina zou nu luisteren. *Repeat*, keer op keer.

Die vrijdag, enkele uren na mijn spreekbeurt, zweefde *Für Alina* weer door mijn kamer. Ik las op internet dat de muziek was geschreven als afscheidscadeau voor een meisje dat in het buitenland ging studeren.

Het was 18u55.

Nog een kwartier.

Für Alina klonk nog verder in mijn hoofd toen ik zachtjes, op kousenvoeten, de trap af teende. Etensgeuren en keukengeluiden kwamen me tegemoet. Soep pruttelde op het vuur. Boter siste in de pan. Ma sneed een stuk prei met golvende halen van haar Duitse koksmes dat ze koesterde als een juweel. Ze goot room in een plastic kom en nam de mixer, maar zette hem nog niet aan. Ze keek me aan, een blik van verstandhouding. Ik griste een paar garnalen uit een kommetje en glipte de keuken uit. Toen pas ging de mixer op volle toeren.

Ik zette de tv aan en zapte langs tien verschillende zenders in evenveel seconden. Een kookprogramma: hoe maak ik een consommé van tomaten? Een samenvatting van een voetbalwedstrijd: *Binneeeh! O-o-oooh!* Een jongerenprogramma. De presentatrice stond molenwiekend voor een groep kinderen, de camera cirkelde om haar heen als een dol insect. 'Wat vinden wij van mensen die het milieu vervuilen?' gilde de presentatrice. 'Vinden wij dit góéd?'

'Néé!' krijsten de kinderen in de studio.

'Wat zeggen jullie? Ik hoor jullie niet goed!'

'NEEEE!'

'Laten we nu nog één keer héél hard schreeuwen, zodat élke milieuvervuiler ter wereld ons kan horen. Klaar?'

Zap.

Een Japanse tekenfilm. Robotten gingen elkaar te lijf met laserstralen en raketten. Ruimtetuigen kliefden er flitsend doorheen, sommige vlogen met donderend geraas te pletter. Wat een onzin, dacht ik. In de ruimte is er geen geluid, want er is geen lucht. Zelfs crashende ruimtetuigen hoor je er niet.
Uit.

Ma zette ook de afzuigkap uit – één van die vele geluiden die je pas opmerkt als ze wegvallen – en we gingen aan tafel. Pa liet een portie kabeljauw op onze borden glijden en bedolf ze onder een lepel garnalensaus. Hij keek me onderzoekend aan.

'En? Hoe is de spreekbeurt verlopen?'

'Goed, denk ik. Goed.'

'Wat vonden ze van het onderwerp? Niet te... vreemd?'

'Nee', zei ik luchtig, 'echt niet. Vos vond het origineel. En er kwam meteen een hele discussie op gang.'

Twee garnalen ontsnapten aan pa's lippen, hij zoog ze snel weer zijn mond binnen. 'Tuurlijk was het origineel. En ik weet zeker' - hij tekende met zijn mes een kringetje in de lucht - 'dat je je klasgenoten hebt doen nadenken over...'

BAM!

Pa zweeg abrupt. Hij verstarde. We verstarden allemaal, ik nog het meest. 'Daar gaan we', zuchtte pa, en de woorden vielen hem uit de mond.

Het was 19u10. Buurman Stef, die de andere helft van de twee-woonst betrok, was thuisgekomen en had zijn voordeur zoals altijd keihard dichtgegooid. We wisten hoe het nu zou gaan. Nog enkele seconden zou het stil zijn: de tijd die Stef nodig had om zijn jas op te hangen, zijn schoenen uit te schoppen en op de ON-knop van zijn muziekinstallatie te duwen. Daarna barstte het in het huis naast ons los:

I GOTTA FEELING,
THAT TONIGHT'S GONNA BE A GOOD NIGHT!

Zo ging het al een maand, sinds de dag dat Stef onze buurman was geworden. Elke keer als hij terugkwam van het werk, om 19u10 stipt, loeide zijn favoriete nummer door zijn én door ons huis. Eerst was het grappig, na een week werd het veel te voorspelbaar en nu, na een maand, verstijfde ik al bij de eerste tonen.

De herrie bleef zelden beperkt tot Stefs 4 minuten en 49 seconden durende muzikale thuiskomer *I gotta feeling*. Er was meer, bij God er was véél meer. Er waren avonden dat de muziek urenlang door onze gemeenschappelijke muur heen dreunde, muziek die nog veel erger was dan *I gotta feeling*. Stef was journalist en had een eigen krantenrubriekje waarin hij nieuwe cd's besprak. Tussen die cd's stak onvoorstelbare rommel, maar Stef speelde ze avonden lang knoerthard alsof hij in die geluidsbrij toch een leuke gitaarriff of een overschotje melodie hoopte te ontwaren. Dan zeg ik nog niets over hoe Stef elke deur in zijn huis dichtknalde, hoe hij de trap op- en afdenderde alsof hij legerlaarzen droeg en hoe hij nu en dan een rondslingerende voetbal een paar keer tegen een muur knalde – Stef hield van voetbal en had zo te horen een fameuze traptechniek. Hij droeg dan ook een T-shirt van Real Madrid als hij op zaterdag op de oprit zijn auto waste en uit de openstaande ramen van zijn auto alweer

TECHNO

loeide. Na afloop verplaatste het kabaal zich naar zijn tuintje, waar hij zich op zonnige dagen installeerde met kranten, tijdschriften en een *construction blaster* afgesteld op een alternatieve radiozender. Ma grapte eerst nog dat harde muziek insecten verjaagt – dat had ze gelezen in een wetenschappelijk tijdschrift –

maar kwam al snel tot het pijnlijke besef dat ze nog maar zelden rustig in onze tuin kon zitten.

Stef kon worden genomineerd als De Meest Lawaaierige Buurman Ter Wereld. Door een wrede speling van het lot was hij uitgerekend naast mij komen wonen en bediende hij zich van het gruwelijkste wapen dat ik mij kon voorstellen: luide en vervelende muziek. Muziek kon je ontroeren en vervoeren, maar in de verkeerde handen werd het een marteltuig. Ik, die zo van muziek hield, werd er nu door geterroriseerd.

Op vrijdag was het het ergst. Dan kreeg Stef vrienden op bezoek. Muzikale vrienden, die in schimmige rockgroepjes speelden en die Stef onbeschaamd promootte in zijn rubriekje in de krant. Stefs vrienden hadden gekke brilletjes op, waren meestal kaal en droegen nauw aansluitende hemden in felle kleuren en laarsjes van slangenleer. Ze sleepten gitaren en versterkers Stefs huis binnen en probeerden urenlang nieuwe songs uit. Tussen de dreunende bassen en gillende gitaarsalvo's door hoorden we Stef kraaien van de pret.

GEWELDIG NUMMER, MAN!

Pa stond verdekt opgesteld tussen de wandkast en de gordijnen in de woonkamer. 'Ludovic, kom kijken.' Er was een witte bestelwagen gestopt, vlak voor onze oprit. Er stapte een kerel uit met warrig haar en een bril met een dik zwart montuur. Daarachter zaten gemene varkensoogjes die snel heen en weer schoten. 'Die is er ook weer bij. Herken je hem?'

'Ja. Die zanger. Stoned.' Stoned was één van Stefs beste vrienden. Hij was pas nog op tv geweest; hij had zijn nieuwste liedje gezongen in een populaire talkshow. 'Heeft hij onlangs geen prijs gekregen?'

'Ja. En na de prijsuitreiking viel hij dronken van het podium. En de andere leden van zijn band braken het decor af. Maar ook dat is artistiek, hè?'

'Waarom blokkeert hij eigenlijk onze oprit, pa?'

'Kunstenaars mag je niet lastigvallen met naar parkeerplaatsen te zoeken', zei pa sarcastisch.

'En waarom loopt hij mama's viooltjes plat?'

'Ook dát is artistiek, jongen. Grote kunstenaars lopen nu eenmaal met hun hoofd in de wolken.'

Stef kwam Stoned tegemoet op de oprit. De twee mannen omhelsden elkaar ruw en liepen met grote passen naar Stefs huis.

BAM!

Ik dacht aan René en Georgette, het bejaarde koppel dat naast ons had gewoond tot ze enkele maanden geleden naar rusthuis 'Margriet' waren verhuisd. René en Georgette waren zo stil in hun huis geweest dat we ons soms afvroegen of ze nog wel in leven waren. Bij Stef hoefde je daar nooit aan te twijfelen; hij was één en al hoorbare levenslust.

Ook zonder oordoppen was het op mijn kamer veel stiller dan in de rest van het huis. (29 decibel, leerde ik later.) Met dank aan de akoestische isolatie onder een zwevende vloer, een geluidswerend vals plafond, muren die met kurktegels waren bezet en een dik, kamerbreed tapijt. Allemaal speciaal voor mij, de jongen voor wie muziek zo vaak lawaai was. Voor wie koud altijd kouder was, warm altijd warmer. Zuur zuurder en zoet zoeter. Rauw rauwer. Zwart zwarter. En luid altijd luider, sinds de dag in de put.

Dat ik gewoon overgevoelig was, zeiden ze wel eens.

'Denkt u dat ook?'

Agent Edward keek op van de computer. Zijn twee wijsvingers zweefden boven het toetsenbord.

'Hoe bedoel je?'

'Dat ik overgevoelig ben. Vindt u dat ook?

De agent ademde langzaam uit. Hij wikte zijn woorden als een patissier de ingrediënten voor banketbakkersroom. 'Kijk... Het is een feit dat de wereld altijd maar drukker wordt. En dat mensen niet altijd beseffen dat hun eigen pleziertjes anderen storen. Ik denk dat niemand dat zal ontkennen, Ludovic.'

Ludovic, zei hij, wat vertrouwelijk.

'Hebben jullie nooit gepraat met die buurman? Misschien beséft die man niet eens dat hij voor zoveel overlast zorgt. Praten helpt, weet je.'

Pa wás gaan praten met Stef. Omdat pa eigenlijk een softie is, begon hij met een zeemzoet verhaal over oude huizen die charmant maar ook wat gehorig zijn. Na enige aarzeling stelde hij Stef enkele gerichte vragen, verpakt als goedmoedige raad. Of de stereo-installatie íétsje zachter mocht. Of de tv 's avonds laat íétsje stiller mocht. Of hij de gemeenschappelijke muur niet als doel wilde gebruiken voor een spelletje huisvoetbal. Of het mogelijk was een deur gewoon te sluiten in plaats van dicht te gooien.

Stef reageerde slecht. Hij stampte met zijn ene legerboot op de grond en vroeg wat het probleem was. Een bizarre vraag, gezien pa's uitleg in de minuten daarvoor. 'Buurman... ik sta nu echt - zoals ze zeggen - met de mond vol tanden. Ik dacht dat jullie ruimdenkende mensen waren. We leven nu eenmaal naast elkaar hè, het is niet meer dan normaal dat jullie eens een *geruchtje* horen.'

'Maar die repetities op vrijdagavond zijn toch...'

'Kom op, man! Andere mensen zouden dánkbaar zijn dat er zulke grote artiesten vlakbij repeteren. Jullie horen gewoon als eersten hoe er nieuw werk ontstaat! Jullie hebben de primeur! En daarbij: in mijn eigen huis mag ik toch doen wat ik wil, of niet?'

Daarop zei pa dat wij in ons huis ook graag zouden doen wat we wilden, maar dat dit een beetje moeilijk was als hij zoveel lawaai maakte. Lezen, studeren, tv-kijken, zelf naar muziek luisteren, rustig eten, dat kon allemaal niet.

Toen riep Stef dat we onverdraagzaam waren - en hij gooide de deur dicht.

Edward streek door zijn haar en keek me peinzend aan. 'En jij, vind jij jezelf onverdraagzaam?'

De ventilator van de computer sloeg aan. Ik schoof wat vooruit op mijn stoel. Er voer een vlaag van zelfverzekerdheid in mij: 'Onverdraagzaam? Wie zijn muziek keihard zet, houdt geen rekening met een ander en verplicht iedereen om mee te luisteren. Wie is er dan onverdraagzaam? Ben ik onverdraagzaam als ik mij erger aan boomcars die door onze straat rijden? *Boenke-boenke.*'

'Dat is inderdaad hinderlijk. Maar die boomcars blijven toch niet voor je venster staan?'

'Aan lallende dronkenmannen die midden in de nacht Frans Bauer imiteren?'

'Dat hoort bij het leven in een grote stad, jongen.'

'Die snerpende, opgefokte brommertjes en andere lawaaierige mormels in de straten. Die stomme ringtones van gsm's overal om je heen – sommige nerds wachten zelfs even om op te nemen zodat iedereen hun stomme ringtone heeft gehoord - zelfs in de bioscoop gaat er altijd... Ja, bioscopen! Ga je wel eens naar de bioscoop?'

Agent Edward leek niet geneigd iets over zijn vrijetijdsbesteding te vertellen, daarom ging ik zelf maar verder.

'Het stond onlangs in de krant: *Meisje loopt gehoorschade op in bioscoop*. Ze zat te dicht bij de luidsprekers. Dat verbaast me niets: films in een bioscoop worden almaar luider, je wordt bijna uit je stoel geblazen – ik vind het niet leuk meer.'

'Goed, hiermee...'

'Nergens kunnen mensen nog samenkomen zonder dat er een muziekinstallatie wordt aangesleept. Op elke bouwwerf staat er een kanjer van een *construction blaster*, die de hele straat de hele dag van muziek voorziet.'

'Zo is het wel genoeg, Ludovic, ik begrijp wat je wilt zeggen.'

'Echt?'

'Ja. Maar je overdrijft.'

Ik zweeg en keek over Edwards schouder door het raam. 'De wereld wordt almaar luider, toch?'

'Ja, dat is zo. En ik denk dat je je punt wel hebt gemaakt. Maar ik zou graag hebben dat je je nu beperkt tot de essentie. Je zit hier omwille van wat je allemaal hebt uitgespookt in deze stad. Je hebt mensen angst aangejaagd. Je hebt de naam van mensen misbruikt. Om nog te zwijgen van wat er vanavond allemaal is gebeurd...' Agent Edward verhief voor het eerst zijn stem. 'Je hebt mensen in gevaar gebracht, Ludovic!'

'Alsof het zo erg was', probeerde ik nog, maar ik geef toe dat het niet zo overtuigend klonk.

'Alsof het zo erg was?' De agent sloeg met zijn vlakke hand op tafel. 'Er hadden doden kunnen vallen. Veel mensen bij elkaar: dat is op zich al een gevaarlijke situatie, zonder dat jij paniek gaat veroorzaken. Je hebt met levens gespeeld.'

'Nu doe je alsof ik een moordenaar ben.'

'Dat heb ik niet gezegd.'

Nee, dat had hij niet gezegd. Ik had het gezegd. En al was ik geen moordenaar, ergens had ik er iets mee gemeen. Moordenaars hebben een cruciale grens overschreden. Allemaal beleefden ze een 'klik', een moment waarop ze overgingen tot daden. Ze werden gedreven door machteloosheid en wraak, twee gevoelens die elkaar voeden en versterken. Bij mij was er ook zo'n klik geweest, zo'n moment waarop je voelt dat er diep in jezelf iets onomkeerbaar verandert, alsof je in een computerspel een nieuw level bereikt.

Het was een vrijdag, de week na mijn spreekbeurt. Dat was de dag dat de klik kwam. De klik en de tuut.

DE KLIK

Op vrijdag na school hoefde je nooit op de bus te stappen. Je werd er op geduwd door een organische beweging van de drommende massa, een beweging waarvan nooit duidelijk was waar die begon en nog veel minder waar die zou eindigen. Je kon ze enkel ondergaan, en hopen. Hopen dat er in het gedrang geen lichaamsdeel, gsm of rugzak geplet raakte. Hopen dat je genoeg lucht kreeg in het vacuüm van de opeengeperste massa. Hopen dat...

THIS IS HIP HOP
IT GO CLIP POP

...je niet vlakbij een veel te luide iPod stond.

Die dag was het Shane, een marginale ouderejaars, zo eentje die al agressief werd zodra je hem durfde aan te kijken. Dan vroeg hij meteen wat eigenlijk het probleem was. En of hij iets van je aan had. Hij stond naast mij, zijn iPod braakte keiharde rap. De oorschelpen van zijn hoofdtelefoon waren zo groot als schoteltjes, maar toch hielden ze de muziek niet binnen. Integendeel: het waren eerder luidsprekers. De hele bus kon meeluisteren, van de achterste bank tot de chauffeur. Ik zette mijn eigen iPod uit – de stromende pianoklanken van Ludovico Einaudi waren er niet tegen opgewassen.

THIS IS HIP HOP
IT GO CLIP POP

Toen de bus vertrok, liet Shane de hoofdtelefoon in zijn nek glijden. Hij riep iets over een gratis vat bier en een blunderende doelman naar een andere raddraaier, verderop in de bus. Onvoorstelbaar hoeveel decibels er uit zijn hoofdtelefoon kwamen: met één iPod maakte hij van lijn 72 een volgepakte fuifbus - de rapmuziek overstemde het rumoer van alle gesprekken en het loeien van de motor. Ik zag hoe mensen zich wilden afweren, zich een stapje wilden verwijderen van deze lawaaibom, maar dat ging niet: ze stonden in een overvolle bus, veroordeeld tot elkaar en de dreunende muziek.

THIS IS HIP HOP
IT GO CLIP POP

En toen, toen gebeurde het: de eerste schakel in een keten van gebeurtenissen die van die vrijdag de dag van de klik en de tuut zou maken. In de hoofdrol: een ouder, sjofel gekleed vrouwtje dat in de bus zat, naast de geluidsterrorist. Ze had een bleek, vlekkerig gezicht, op haar schoot stond een boodschappentas met opschrift 'Big Shopper' die zo te zien al werd gebruikt toen de Twin Towers er nog stonden.

'Hé', baste ze, 'mag het wat zachter, ja?'

Shane leek haar niet eens te horen. De iPod stond nog altijd op volle sterkte, de hoofdtelefoon rustte in zijn nek, zijn kin bewoog zachtjes mee op het ritme van de slepende *base line*.

'Hé, stop dat lawaai! Hou die muziek voor jezelf...'

De gesprekken in de bus verstomden. De clippopper ont- waakte uit zijn muzikale stand-by en staarde enkele seconden naar de Big Shopper.

'Wat...?', stamelde hij.

De Big Shopper leek te zijn geschrokken van haar plotse hoofdrol, maar ze kreeg bijstand uit totaal onverwachte hoek: van mezelf, in een bijrol. Ik sprak drie woorden met verregaande gevolgen, drie simpele woorden eigenlijk: 'Ze heeft gelijk.' Even leek ik toeschouwer van mezelf te zijn, ik hoorde het mezelf zeggen én herhalen: 'Ze heeft gelijk.'

Ik hoorde mezelf nog meer zeggen, nóg zes woorden: 'Zet dat uit – het is irritant.'

De hiphopclippopper snoof. *What the fuck?* Wat is eigenlijk het probleem?'

'Dat ding staat veel te luid', verduidelijkte ik nog, op een toontje alsof ik oprecht bezorgd was om zijn welzijn, als een jongere broer die het beste met hem voorhad. 'Je maakt je oren kapot.'

'So whát? Waar bemoei jij je eigenlijk mee? Heb ik iets van je aan of zo?'

Shane de decibeljunk gaf mij een por, en nog één, een harde. Ik week achteruit, hoewel daar geen plaats voor was. Een heertje met een aktetas kreeg het benauwd en begon hevig te ademen. Hij duwde mij met de aktetas weer vooruit, en tegelijk remde de buschauffeur bruusk, waardoor ik tegen de hiphopclippopper aanvloog. Die zei dat ik een homo was, een dikke vette homo, en gaf me weer een duw. Net op dat moment gingen we door een bocht. Ik kon me nergens meer aan vastklampen, en dus vloog ik opzij, tegen enkele meisjes die giechelend op roze gsm's tokkelden.

'Creep!' snauwden ze. 'Doe normaal!' Na nog een bocht stopte de bus aan een halte. Ik was bij de deuren beland en toen die opengingen, bewoog de opeengeperste massa zich met diezelfde organische beweging als bij het begin van de rit, maar nu in omgekeerde richting. Onder gejoel van enkele eerstejaars werd ik uit de bus geduwd, verloor mijn evenwicht en belandde languit op het trottoir. Mijn val werd gebroken door mijn rugzak, die openscheurde. Mijn agenda, wat schrijfgerei, het handboek Wiskunde met al zijn merkwaardige producten en een geplette Snickers vormden een troosteloos stilleven op het trottoir. De deuren van de bus klapten sissend dicht – ik hoorde nog net een volgende flard 50 Cent.

WELL I PUT YOUR BODY IN A BAG!
FRONT ON ME, I'M ON YA ASS!

Ik moest te voet verder richting bibliotheek voor de opdracht van Vos: 'Zoek een gedicht dat bij je spreekbeurt past. Bespreek.' Het zou nog een fikse wandeling worden, maar dat was niet erg. Ik had mijn iPod voor onderweg en de bestemming was één van mijn favoriete plekken. Niet omdat ik zo'n boekenwurm was, maar omdat de bibliotheek een stille plek was, en stille plekken waren er niet zo veel in deze stad. Het enige lawaai dat je er hoorde, waren de plofjes waarmee boeken in een rek werden gezet, voetstappen die over het tapijt schreden en het discrete gefluister van een student die aan de infobalie een werk uit het magazijn opvroeg. Er ging wel eens een gsm af – ongelukken gebeuren nu eenmaal -, maar de eigenaar ervan evacueerde zichzelf meestal razendsnel naar de gang, terwijl afkeurende blikken hem in de rug priemden. Misschien zou ik ook nog even in de cd-afdeling rondneuzen om muziek te ontdekken die even mooi en intrigerend was als *Für Alina*.

Eerst slenterde ik tussen de boekenrekken, van AB/B naar W/Z en weer terug. Ik laafde mij aan de stilte en voelde hoe ik tot rust kwam na wat ik in de bus had meegemaakt. Er was maar een tiental mensen, ze stonden met het hoofd schuin naar boekenruggen te kijken of stonden te lezen, verzonken in mooie woorden en gedachten.

Ik zocht en vond het boek dat pa mij had aangeraden. Jan Hanlo. *Verzamelde gedichten.* Ik las:

> *Nooit meer stil*
>
> *Men zal nog krijgen dat het nooit meer stil is*
> *en dat voortdurend 's nachts en altijd de verdoemde rotmotoren*
> *om je kop ronken*
> *zodat...*

En toen, toen werden het gedicht en die hele zoete zijdeachtige stilte in de bibliotheek opengereten door de ringtone van een gsm. Ik wist meteen dat die toebehoorde aan een senior: de beltoon was de aloude

NOKIATUNE,

de standaard beltoon van een acht jaar oude Nokia, het volume was de standaardinstelling

(LUID)

en het duurde eeuwen eer hij het ding had gelokaliseerd in zijn broekzak of jas. Ergens tussen de rekken EG/GH en H/K weergalmde een schorre stem:

ALLO?

en

IK HAD HET VERWACHT, DAT GE MIJ GING OPBELLEN.

(Alleen senioren gebruiken nog het woord 'opbellen', net zoals 'dagblad' in plaats van krant en 'neusdoek' in plaats van zakdoek.)

De beller, een spichtig grijs mannetje met een heuptasje en een goudkleurig leesbrilletje, maakte geen aanstalten om de afdeling te verlaten, integendeel: hij belde gewoon verder en sprak almaar luider. Hij stond nota bene vlak onder een gsm-verbodssticker. Het gesprek ging over een bloedonderzoek waarvan de uitslag nu bekend was. Of de leverwaarden nu normaal waren, riep hij, alsof hij niet in een gsm-toestel sprak maar tot iemand aan het andere eind van een turnzaal.

HEEFT DE DOKTOOR İETS OVER DE CHOLESTEROL GEZEGD?

Een volledig medisch rapport weerklonk in de afdeling Literatuur van de openbare bibliotheek. De rust die ik tijdens mijn wandeling had hervonden, was weg. Irritatie gistte en borrelde in mij. Dit was geen agressieve geluidsjunk met een iPod en pompende rap, dit was een deftig oud heertje. En deftige oude heertjes hadden toch zo graag dat iedereen de regels naleefde, zeker de jeugd!

Opnieuw leek ik een toeschouwer van mezelf toen ik op de man toestapte en hem op de schouder tikte.

WABLİEFT? IK HOOR U SLECHT!

balkte hij net in zijn ouwe Nokia.

'Meneer', zei ik zachtjes, want ik ben discreet én beleefd. 'Menééér!'

'HUH? WAT?'

'Het stoort u toch niet dat er hier mensen aan het lezen zijn?' probeerde ik eerst nog grappig te zijn, maar dat sloeg duidelijk niet aan. 'U bent hier in een bibliotheek!' zei ik toen maar, en wees naar de gsm-verbodssticker boven zijn hoofd, met ernaast het bordje *'Stilte a.u.b.'*

De man keek me met een wilde blik aan en maakte een slaande beweging naar mij met zijn vrije hand, als naar een lastige vlieg.

'Ssst!' deed ik, met mijn wijsvinger op mijn lippen.

De mobiele beller liep nu rood aan en wendde zich vloekend af.

'Meneer,' drong ik aan, 'u bent hier in...'

Nu draaide het mannetje zich met een ruk om en begon mij weg te duwen, maar ik was hem te snel af. Ik zette een soepele stap achteruit, waardoor hij zijn evenwicht verloor. Hij hoopte dat terug te vinden door zich aan een boekenrek vast te klampen, maar trok alleen maar enkele turven van Stephen King uit het rek en viel samen met *Rosie, De Noodzaak* en *De Beproeving* op de grond. Zijn gsm gleed meters ver weg, tot onder het rek *Nederlandstalige poëzie*.

'Ulp! Ulp!' piepte het heertje, en hij tastte naar zijn heup.

Verlamd staarde ik de gevallen gepensioneerde aan. Ik moest

hem helpen – hij had zich misschien wel echt bezeerd -, maar het duivelse grimas dat hij trok, was weinig uitnodigend. Mijn tweestrijd duurde enkele seconden. Hij eindigde toen ik de geluidsvandaal een hand reikte om hem overeind te helpen, een hand die hij nijdig afweerde. Ik maakte mij uit de voeten, net voor een bibliotheekbediende in een soort snelwandelpasje kwam aangeschoten. 'Wat is hier eigenlijk, féítelijk aan de hand? Gaat het meneer?'

'Die daar! Die nozem heeft mij op de grond geduwd!'

Ik ontsnapte tussen de rekken *Nederlandstalige poëzie* en *Nederlandstalig toneel* en vluchtte de trappen af. Ik scande het boek van Jan Hanlo en propte het in mijn rugzak, ik hoopte dat de bediende aan de uitgang intussen geen signalement had doorgekregen en mij staande zou houden.

Ik liep naar de uitgang.

Hartslag hoog, voelbaar in mijn keel.

'Hé', riep iemand. 'Hé!'

Daar had je het al.

Ik keek om, maar liep door.

'Je datumbriefje!' riep een bibliotheekbediende. Tegelijk rinkelde de telefoon naast haar. Ongetwijfeld de afdeling Literatuur.

'Hou de jongen in het grijze jasje en de rugzak tegen!'

Ik perste mij door de draaideuren naar buiten.

Lucht happen.

Rustig worden.

Rustig.

Ik liep met forse passen richting winkelcentrum, zodanig overstuur dat ik schrok van mijn eigen ultrahoge sms-toon. Ik schrok ook van de sms die ik las.

Boek geschied vergete?
Km hale in Cicero.

Max liet in sms'en en mails meestal één of meerdere letters van een woord vallen. 'Je hebt die toch niet nodig om een woord te begrijpen', zei hij dan. Hij had gelijk: zijn sms was ook zonder de ingeslikte letters pijnlijk duidelijk. Dat boek van Geschiedenis was ik helemaal vergeten.

Cicero. Het flikkerde in azuurblauw neonlicht boven de smalle gevel, geklemd tussen een nachtwinkel en een pitabar. Op de vensterbanken lagen lege bierblikjes en een half opgegeten *dürüm*. De ramen waren deels beslagen, er hingen affiches voor van studentenfuiven. *'Happy Hour: 17-18u'* stond op een handgeschreven kaart op het raam – juist daarom zat het café stampvol. Op straat hoorde ik de bassen van de muziek al bonken. Dit was geen plek voor mij, maar nood brak wet. Ik ging binnen. Ik moest.

Voetje voor voetje perste ik mij een weg door de opeengepakte massa. Eén keer was ik op vrijdag meegekomen met Dieter en de rest – ik kon niet altijd de uitzondering blijven. Toen was het best meegevallen met het lawaai. Nu niet. Nu helemaal niet. De beats bonkten door mijn hele lijf: in mijn hoofd, in mijn maag, in mijn benen. Boven de muziek uit werd er geroepen en geschreeuwd, mensen stonden tegen elkaar aan geleund en brulden in elkaars oor. Waarom kwamen ze dan hier, als ze wilden praten?

Dieter stond er, bier te hijsen. Thijs stond er, bier te hijsen. Klaas stond er, bier te hijsen. Ik riep dat ik hoofdpijn kreeg van die muziek.

'Dit is toch veel te luid!'

'Wáát?' deed Dieter. Hij leek geërgerd omdat hij me niet verstond. Alsof ik er wat kon aan doen.

'Ik zei: mijn hoofd doet nu al pijn van die muziek. Ik had oordopjes moeten meebrengen.'

'Wáát?'

'ZO LUID!!'

Dieter maakte van beide handen een toeter en richtte die op mijn ene oor: 'Er speelt voor de eerste keer een echte dj!' riep hij, en hij wees naar de man in een T-shirt met opschrift *Good music must be played LOUD* die in een hoekje achter de toog aan een mengtafeltje stond.

'Waar is Max?' riep ik.

'Ik weet ook de naam van die dj niet!'

'Nee! Max! Waar is hij?'

Dieter schakelde over op gebarentaal, waaruit ik begreep dat Max achterin stond.

Ik wrong mezelf tussen de zwetende, deinende lijven, probeerde handen vol bekers bier en cola te ontwijken. De dj wisselde razendsnel van muziek.

I GOTTA FEELING,
THAT TONIGHT'S GONNA BE A GOOD NIGHT!

Ik werd geënterd door Korneel. Zijn ruitjeshemd hing uit zijn broek.

'Dat zijn de Black Eyed Peas!' bulderde hij in mijn oor.

'Tof nummer!' schreeuwde ik. 'Ik luister er elke avond naar! Al meer dan een maand!'

Mijn cynisme ontging Korneel. Hij schudde heftig met zijn hoofd en snoof betweterig. 'Dat is nu zooo typisch, hè', toeterde hij. 'Ik ken de Black Eyed Peas al van vroeger, toen ze nog niet commercieel waren. En nu hebben ze een hit, en ja, nu vindt iedereen ze tof.'

Korneel was zo graag De Grote Kenner, vooral als het over muziek ging. Hij wist het nu eenmaal altijd beter, hij kende alle muziek als eerste en vaak als enige, alleen hij had smaak.

'Hetzelfde met Stoned', brulde hij, en hij zweeg enkele seconden geheimzinnig. 'Ik ken die al van zijn allereerste plaat. Toen was hij eigenlijk nog beter. Sigur Rós! Pearl Jam! Zelfde verhaal.'

Korneel knipoogde, danste enkele tellen schokschouderend ter plaatse en sloeg in één beweging een arm om de passerende Alina. Behalve het dreunen van de bassen voelde ik in mijn maag nu ook prikken van jaloezie.

'Waar is Max?' riep ik in Alina's oor.

Eén voordeel: met zo'n lawaai móét je wel heel dicht bij een meisje gaan staan. Ik rook haar shampoo; er zat een citroengeurtje in.

'Weet niet!'

Korneel gooide zich er weer tussen. 'Wisten jullie dat: in hun beginperiode heette Pearl Jam nog Mookie Blaylock!'

De dj wisselde razendsnel van

BEYONCE

naar

RIHANNA

en mixte er nu en dan een robotachtige kreet

IT'S PARTY TIME!

onder. De muziek leek alsmaar luider te worden. En hoe luider, hoe wilder Korneel werd. Een siddering trok door zijn hele lange lijf: 'Geweldig, die dj! Eindelijk kun je hier de muziek vóélen!', gilde hij, en hij schuifelde in een schokkerige moonwalk naar de geluidsboxen. Daar ging hij vlak voor staan, de armen gespreid, als was hij Leonardo DiCaprio op de voorsteven van de Titanic.

Ik ploegde verder door de mensenzee. Eindelijk vond ik Max, languit op één van de banken tegen de muur achterin.

'Het boek!' schreeuwde ik.

Max knikte. 'Een biertje!'

'Nee: het bóék. Van Geschiedenis.'

Nog minstens drie volle minuten moest Max zoeken. Eerst naar zijn rugzak tussen tien andere rugzakken die onder de bank lagen geschoven en daarna moest hij in die rugzak nog dat verdomde boek weten te vinden.

Ik rukte het uit zijn handen en wrong mij naar buiten. Ik duwde tegen ruggen en armen – een geut frisdank vloog in het rond. Korneel stond nog steeds voor de geluidsboxen, zijn lijf gekromd als een komma en zijn ellebogen wijd. Zijn mond hing wijd open, zweet droop van zijn gezicht. Hij leek van de wereld los.

De deur van de Cicero viel achter mij dicht. Ik stond weer op straat. Met het boek van Geschiedenis. Met een zucht van opluchting. Met een wild bonkend hart. Met een hoofd dat zwaar aanvoelde, als na een kater. En met oren waarin proppen leken te zitten die almaar groter en zwaarder werden.

Het was niet alles. Er was nog iets anders aan de hand met mijn oren. Ik hoorde:

TUUUUUUUUUUUU
UUUUUUUUUUUUU
UUUUUUUUUUUUU
UUUUUUUUUUUUU
UUUUUUUUUUUUU

TUUUUUUUUUU

Tuuuuuut. De kiestoon van een gewoon telefoontoestel – daar kon je het nog het best mee vergelijken. Een ononderbroken, eeuwige kiestoon. Het maakte niet uit of je een nummer intoetste, inhaakte of de telefoon uit het raam keilde: deze kiestoon bleef klinken.

Ik hoorde de tuut al op straat, toen ik van de Cicero naar huis wandelde. Toen kon ik mezelf nog wijsmaken dat ik alleen stadsgeluiden hoorde. De stad was nu eenmaal een immense machine die gonsde, roezemoesde, ruiste en floot - een tuut leek daarin niet eens abnormaal, je hoorde hem zelfs amper als je door de straten liep. Ik duwde mijn iPod-oortjes in. Drum-'n-bass – het jachtige ritme paste bij mijn stappen en de onrust in mijn lijf. En het maskeerde wat ik niet wilde horen.

Thuis trok ik de oortjes uit gewoonte uit – ma raakte altijd in alle staten als ik met de iPod rondliep. (Asociaal! Onbeleefd!) De tuut

UUUUUUUUUUUUUUU

was er nog altijd, ook in de woonkamer. Maar misschien kwam de tuut daar wel van de tv die op stand-by stond? Ik schakelde hem helemaal uit: geen verschil. De tuut was er ook in de keuken, maar hij kwam niet van het espressoapparaat of de koelkast. De tuut was er ook in de gang, maar hij kwam niet van de grote staande lamp of het kastje van de alarminstallatie. Net zoals hij in de badkamer niet van de opladende elektrische tandenborstel kwam en op mijn kamer niet van de laptop, printer of muziekinstallatie. Zelfs niet van buurman Stef.

De tuut zat gewoon in mij.

Na het concert aan zee had ik datzelfde drukkende gevoel in mijn oren gehad. Dat was 's avonds laat weggeëbd en na een nachtje slapen was het verdwenen. Nu zou het ook wel zo gaan, niet? Ik moest gewoon rustig worden; ongetwijfeld was het gewoon stress. Het voorval in de bus, mijn ontsnapping uit de bibliotheek, het

JUUUUUUUUUUUUUU

decibelbombardement in de Cicero - dat alles samen was een heleboel stress. Misschien was dat getuut een waarschuwing van mijn lichaam dat het even genoeg was geweest. Mijn eigen lijf dat me terugfloot. Zoals een stoomketel: die fluit ook als hij het kookpunt heeft bereikt.

Ik ging op bed liggen en luisterde naar de tuut. Hij zat diep in mijn linkeroor, zou ik hebben gezegd, maar ik leek hem in beide oren te horen. Niet hard, maar ook niet zacht. Hard genoeg om hem niet te kunnen negeren.

Ik stak mijn oordoppen in. Zinloos: het geluid kwam van binnenin. Ik sperde mijn mond zo wijd mogelijk open. Dat hielp in het zwembad en ook als je oren suisden in een vliegtuig dat landde. Slikken, dat hielp dan ook. Ik slikte wel tien keer na elkaar, zonder resultaat. Ik nam een pijnstiller – pijn deed het niet, maar je wist nooit of het zou helpen. Ik dronk grote slokken

UUUUUUUUUUUUUUU

water, twee volle glazen na elkaar – geen idee waarom. Maar wat ik ook deed: het maakte allemaal niets uit. De tuut was als een jeukje waar je niet aan kon krabben. Om gek van te worden.

Mijn ergste nachtmerrie was bewaarheid: nu was het nooit meer stil, zelfs niet in mijn eigen hoofd.

Ik ging vroeg slapen, het hoofdkussen op mijn hoofd en het dekbed hoog opgetrokken, een nutteloos schild tegen een vijand die in je lijf zat en die je onmogelijk kon ontvluchten. Alleen muziek bracht verlichting, heel zachtjes op de achtergrond. Mijn muziek vervlocht zich met de tuut, sloeg er een mantel van klanken omheen. Soms hoorde ik de tuut niet meer, soms was de tuut als een eentonige vioolklank die zich met de muziek in mijn kamer vermengde. Zo sliep ik in, met iTunes op *shuffle*.

UUUUUUUUUUUUUUU

Morgen zou het wel over zijn.

Morgen.

Ik werd wakker met muziek uit *The Lord of the Rings. Lothlorien*, 'bloem uit een droom', de plek van de elfen, van rust en van vrede. Tussen waken en slapen stierven de laatste hoornklanken uit. Toen was er even geen muziek meer. En hoorde ik dat de tuut er nog altijd was. Was hij harder of zachter dan gisteren? Was hij hoger of lager? Was het nog altijd een tuut, of meer een piep? Liggend in bed, of rechtop – maakte het een verschil? Er was geen verschil. Het klonk nog altijd even hoog, even luid en even onophoudelijk.

Toen kwam de paniek.

UUUUUUUUUUUUUU

Sms naar Alina, Dieter en Max:

Sinds gisteren tuut in oor.
Door lawaai Cicero. Wanneer stopt dit?

De antwoorden kwamen snel, maar maakten mij weinig wijzer en stelden mij ook niet gerust.

Gaat wel over Ludovic. Voimia sinulle!

En dan kom je eindelijk eens mee naar Cic!
Gaat wel over. Al vaak gehad.

-.-

JUUUUUUUUUUUUU

Mijn ogen flitsten door de zoekresultaten van Google, ik klikte en scrolde mijn ongerustheid tegemoet – internet is een onweerstaanbare maar weinig bemoedigende raadgever.

Fluittoon in het oor = tinnitus.
Tinnitus kan een teken zijn van beginnende gehoorschade.

Klik

Een forum van een jeugdvereniging. Tine: 'Vorige week ging ik naar een fuif waar de muziek erg luid stond. De volgende dag hoorde ik een aanhoudende fluittoon in mijn oor. 's Avonds was het weer verdwenen, maar ik maak me zorgen. Is mijn gehoor nu beschadigd?

Klik.

UUUUUUUUUUUUUU

Door geluid beginnen in het binnenoor kleine haartjes te trillen. Die haartjes zitten vast aan zenuwen, die het geluid doorgeven aan de hersenen. Bij harde geluiden of te luide muziek worden de haartjes zo hard aan het trillen gebracht dat ze ombuigen.

Vergelijk het met een korenveld na een storm.

Klik.

Soms verdwijnt de fluittoon na enkele uren of dagen, soms pas na enkele weken of maanden.

Enkele weken? Enkele maanden?

Tienduizenden mensen in België en Nederland kampen met een tinnitus die nooit meer overgaat.

JUUUUUUUUUUUUUU

'Ik ben bang dat het nooit meer stopt, dokter.'

Maandag. De keel-, neus- en oorarts schraapte zijn keel en legde de uitslag van de gehoortest voor ons neer. Ma zuchtte en schudde het hoofd. 'Hij had meteen moeten komen, dokter, niet?'

Nog één dag had ik gewacht, een hele zaterdag lang, toen ik nog probeerde te geloven wat mijn vrienden mij zeiden: dat zo'n tuut na één, hoogstens twee dagen overgaat. Dat het hen wel vaker overkwam. Dat ik mij niet ongerust moest maken. Op zondagmorgen was de tuut er nog altijd en toen vertelde ik het thuis. Ik vond weinig begrip. Waarom ik zonder oordoppen in een luid café was gebleven – ik wist toch zelf goed genoeg dat ik een gevoelig gehoor had?

'Ik wilde je niet ongerust maken, ma. Iedereen zei dat het na één dag meestal voorbijgaat.'

De oordokter knikte. 'In veel gevallen stopt het inderdaad na één dag, maar niet altijd.'

'Ik heb op internetforums gelezen dat er mensen zijn bij wie

UUUUUUUUUUUUU

het nooit meer stopt. Die het al jaren horen – voor de rest van hun leven.'

'Je hoeft natuurlijk niet alles te geloven wat je op internet leest, maar inderdaad: er zijn mensen bij wie de tinnitus nooit meer overgaat. En nu, op dit moment, kan ik jou niet garanderen dat het bij jou niet zo is.'

Ik vermeed oogcontact met ma; ik keek star voor mij uit naar een doorsnede van een enorm plastic oor dat op een vensterbank stond. De dokter scheurde een briefje af met een recept voor een medicijn. 'Een ontstekingsremmer om de druk op de oren weg te nemen en daarmee hopelijk ook het getuut te stoppen. Negen dagen innemen. Drie dagen een volledige pil, dan drie dagen een halve pil en de laatste drie dagen een kwartje. Als dat niet helpt, kunnen we een zuurstoftherapie proberen. Daarna is een ziekenhuisopname te overwegen, waarbij je vijf dagen aan een infuus zult liggen. Maar zelfs dat is niet altijd een garantie.'

UUUUUUUUUUUUUU

Ik staarde naar de print met twee grafieken – voor elk oor één – die allebei op het eind een verontrustende knik vertoonden. 'Dààr, op die frequentie, is je gehoor beschadigd', wees de dokter. 'Sommige geluiden zul je nu minder goed horen. Je zal waarschijnlijk ook moeite hebben om mensen te verstaan als er veel achtergrondlawaai is.'

'Toch niet voor altijd?'

'Weinig waarschijnlijk als het een eenmalig geluidstrauma was. Maar het valt nooit uit te sluiten. Ook hiervoor moeten we afwachten.'

Haartjes die zijn omgebogen, het korenveld na een storm.

Ik zweeg. Ma niet: zij herhaalde nog maar eens wat ze al honderd keer had gezegd: 'Ik begrijp écht niet waarom hij in dat café is geweest. Hij weet zelf hoe gevoelig hij is voor lawaai – zijn hele leven al.'

UUUUUUUUUUUUUU

'Ma... Ik ben echt maar een paar minuten binnengeweest.'

'Enkele minuten kunnen al genoeg zijn', zei de dokter. 'Soms zelfs enkele seconden – bekijk op internet maar eens een geluidsthermometer.'

Op die thermometer stonden geen graden, maar decibels. Daarnaast: na hoeveel tijd ze schadelijk worden.

Aan geluiden van 75 decibel mag je 8 uur worden blootgesteld. Dan gaat het snel, want de decibelschaal is een logaritmische schaal. Dat wil zeggen dat 78 decibel voor het oor dubbel zo belastend is als 75 decibel – ook al zul je die drie decibel verschil amper opmerken. 78 decibel kan dus al na 4 uur schadelijk zijn, 81 decibel na 2 uur, 84 na 1 uur. Enzovoort. 100 decibel kan dus al na twee minuten te veel zijn.

UUUUUUUUUUUUUUUUU

Ik ging op bed liggen, handen achter mijn hoofd, starend naar het plafond, luisterend naar de fluitende stilte.

'Dat net jou dat moet overkomen', zei Alina. 'En je had er nog wel een spreekbeurt over gegeven.'

Jelle grijnsde: 'Je had die oordoppen beter in je oren gestopt in de Cicero, in plaats van er stoer mee te doen tijdens de spreekbeurt.'

Dinsdagmiddag, de schoolrefter. Mijn oren stonden op springen. Thuis had ik al gemerkt hoe ik ook niet meer bestand leek tegen gewone, alledaagse geluiden. Het geklater van bestek in de lade, het gerinkel van glazen, een bord dat schoon wordt geschraapt. De refter met honderden leerlingen was dan ook een beproeving. Naast ons zat een groep rumoerige laatstejaars – ik hoorde maar flarden van wat er aan onze tafel werd gezegd.

UUUUUUUUUUUUUUUUUUUL

Dieter gniffelde. 'Mán... aa.. toch... kan... meer hoort.' Zijn stem ging verloren in een soep van gedruis en lawaai.

'Wat zeg je?'

Ik hield mijn hoofd schuin en richtte mijn rechteroor naar Dieter toe.

'Ik zei dus: maak je er niet zo druk om. Hoe meer je aan die fluittoon denkt, hoe meer je hem hoort.'

'Het is écht geen inbeelding... Ik hoor het constant, ook nu. En dat na één keer in die stomme Cicero.'

Klaas kwam tussenbeide; ik richtte mijn linkeroor naar hem. 'Dat is het nu net, Ludovic: jij bent niets gewend. Ik heb dat wel meer, zo'n fluitje in mijn oor. Na een dag gaat het altijd weg.'

'Je kúnt je daar niet in trainen, Klaas. En zo'n tuut kan ook nooit meer weggaan! Ik heb daarover gelezen, over een meisje dat naar de film was geweest en bij wie het nooit meer wegging...'

'...die... oon... aan... altijd.'

'Wat zeg je?'

UUUUUUUUUUUUUUUU

'Ik zei: ach, die meiden stellen zich gewoon aan, die overdrijven altijd...'

De laatstejaars naast ons waren vertrokken, ik kon het gesprek weer wat beter volgen.

'Zeg, hoor je alleen maar iets fluiten, of hoor je ook stemmen?'

'Stemmen van doden of zo?'

'Haha. Grappig. Eigenlijk is het nog verwonderlijk dat niet méér mensen zo'n tuut hebben. Sommige concerten zijn zo luid dat je al na een paar minuten risico loopt.'

'Denk je?' mengde Korneel zich in het gesprek, 'ik heb ergens gelezen dat organisatoren van festivals zich aan een limiet van gemiddeld 100 decibel moeten houden, dus...'

'100 decibel – dat kan al na een paar minuten te veel zijn, Korneel. En hoe lang duurt zo'n festival? Een hele dag. Of twee dagen na elkaar.'

Korneel trok misprijzend zijn neus op. Zijn mond kneep zich

UUUUUUUUUUUUUUUL

zuinig samen, hij leunde achterover en duwde zijn bril wat hoger op zijn neus: 'Vertel me dan eens, Ludovic, hoe het komt dat ik géén tuut hoor. Ik ben vrijdag drie úúr in de Cicero gebleven.'

'Het hangt gewoon af van hoe gevoelig je bent. Ik dus duidelijk meer dan jij. Maar je kunt dat niet op voorhand weten. Of je gevoelig bent voor gehoorschade of niet, weet je pas als het te laat is. Misschien heb jij het de volgende keer in de Cicero ook wel zitten – het is niet te voorspellen.'

Alina volgde het gesprek al lang niet meer. Ze was met Jelle verwikkeld in een gesprek over een skivakantie in Adelboden.

'Ik heb toch gelijk, niet?' onderbrak ik hen.

'Wat zeg je?'

'Ik zei: ik heb toch gelijk?'

Ze zuchtte, verveeld. 'Ludovic... Ik wéét dat het erg is, die tuut, en ik hoop dat hij zo snel mogelijk weg is, maar kunnen we het ook één moment over iets anders hebben?'

UUUUUUUUUUUUUU

Ze zette een leeg flesje cola op haar dienblad en stond op, gevolgd door de rest van de klas. Korneel liep met haar mee en fluisterde haar iets toe. Ze lachte en keek om naar mij.

'Wie gaat er vrijdag mee naar de Cicero?' riep Dieter. 'Het schijnt dat die dj nu iedere week komt – iedereen was zo tevreden over hem.'

Op donderdag en vrijdag bleef ik thuis van school: ik was uitgeput. Ook al speelde er 's nachts zachte muziek op de achtergrond, de hele week had ik niet meer dan enkele uren per nacht geslapen door het piekeren en doemdenken over de tuut die misschien nooit meer weg zou gaan. Overdag viel ik bijna in slaap voor tv terwijl ik naar oude afleveringen van *House M.D.* staarde. Seizoen 5: House kwam een ziekenhuiskamer binnen met een kanjer van een

UUUUUUUUUUUUUUL

ghettoblaster op zijn schouder. Hij legde die op de buik van een
14-jarige dove jongen. Wist House trouwens geen remedie, hij die
toch alles wist over bizarre aandoeningen? 's Nachts lag ik klaar-
wakker, te luisteren naar mezelf, naar wat ik niet wilde horen of
naar iTunes, die eindeloos uit 13.285 nummers putte. Of ik stond
op, liep door het duistere huis en las de krant die ik al had gelezen. Middelmatige voetballers droomden van een transfer naar
een Engelse topclub. De winnaar van een talentenjacht op tv
wilde geen eendagsvlieg zijn. Een groep studenten had het wereld-
record 'luid schreeuwen' gebroken: een kreet van 129,9 decibel.
2, 7 decibel beter dan het vorige record.

Het was vier uur zondagmorgen toen ik na een korte maar
droomloze slaap in de tuin stond. De frisse, vochtige ochtendlucht

UUUUUUUUUUUUUUUU

van een late september viel over me heen als een hemd uit een kille kleerkast. Ik rook de kruiden die ma in elke vrije morzel grond stopte. Ik ademde diep in, mijn longen vol, en weer uit. Om vier uur was de stad op zijn stilst, als de laatste nachtuilen naar huis waren en nog voor de vroegste vogels naar het werk vertrokken. Stilte, overal, en toch ook niet. Het was geen doodse stilte, die nacht, het was een stilte waarin van alles gebeurde, die vol energie was. Er leek nog zoveel om naar te luisteren: de verre roep van een vogel, het geritsel in de monumentale plataan verderop in de straat, heel in de verte een geluid dat van een auto had kunnen zijn maar evengoed was het de wind. En boven alles uit het onophoudelijke gonzen van een stad, een geluid waarvan je nooit kon bepalen waar het precies vandaan kwam.

Stilte maakt mensen vaak onbehaaglijk. Daarom zetten ze radio's en tv's aan als ze alleen thuis zijn, ook al willen ze niets bijzonders

UUUUUUUUUUUUT

zien of horen. Daarom beginnen ze ook te neuriën als ze samen met anderen in een lift staan. De stilte die me daar in de tuin benam, was helemaal niet vervelend, integendeel. Ze was als een behaaglijk warm bad na een koude wandeling, als geruststelling na angst, als een happy end na een naar verhaal. Het was een stilte waarin je jezelf kon onderdompelen, je hoefde niet te vrezen dat ze plots zou worden verstoord. Ze leek er alleen voor mij te zijn. Ik was bevoorrecht die woordenloze ochtend mee te maken. Alles kwam tot rust: ik, mijn gedachten, mijn hoofd. Alles werd...

STIL

De tuut was weg.

Wel een volle minuut stond ik roerloos in onze tuin, bang om te bewegen. Misschien was één stap, één beweging, één te diepe zucht al genoeg om de fluittoon weer te activeren. Ik deed een paar passen achteruit, naar onze achterdeur. Ik keek rond in de keuken, naar het helblauwe 4:12 op het display van de stoomoven, naar de krant op tafel. Omzichtig sloop ik de trap op naar mijn kamer. Traag en behoedzaam, om mijn bloed niet te snel te laten stromen. Ik ging op bed liggen. Ik luisterde, zo intens als een mens maar kan luisteren naar iets dat er niet meer is.

Ik lag nog een uur wakker, zonder tuut. Ik sliep in en ik werd wakker, ook zonder tuut. Maar met angst, angst dat hij zou terugkeren. Het gerinkel van bestek aan de ontbijttafel, het schrille kreetje waarmee mijn moeder reageerde toen ik zei dat de tuut weg was, een bons bij buurman Stef – bij alles was er die angst. Misschien was het maar tijdelijk voorbij, misschien was er niet eens veel nodig om de tuut opnieuw te laten beginnen.

Pas 's avonds laat durfde ik zeker te zijn: het was voorbij. Ik sms'te het de halve klas: Max, Alina, Klaas, Dieter, Kobe... Meteen kwamen er sms'en terug. 'Zie je nu wel?' 'Oef.' 'Ik heb het toch gezegd?' *'Se on hyvä uutinen!'* Seconden nadat ik dankzij Google Translate leerde dat die laatste sms 'Goed nieuws!' betekende, spatte mijn opluchting uit elkaar. Ze liep leeg als een fietsband die over twee duimspijkers rijdt. Paniek schoot langs mijn ruggengraat omhoog. Niet omdat de tuut terug was, maar...

Ik checkte mijn gsm.

Menu.

Instellingen.

Geluid.

Ik liep met mijn gsm naar beneden, negeerde de bezorgde vragen ('Hij is toch niet weer terug hè, die tuut?') en greep de vaste telefoon. Ik belde mijn eigen gsm.

Thuis belt

Ik staarde naar het opgelichte scherm van mijn gsm.

Thuis belt

Ik hoorde mijn ringtone niet meer. Ook de sms-signalen daarnet: niet gehoord. De Mosquitoringtone was nu ook voor mij onbereikbaar. Het woord dat ik op talloze websites en forums had gelezen was nu werkelijkheid: gehoorschade, hoe miniem ook. Maar was ze wel miniem?

Ik startte iTunes op, mijn schatkamer van 87 gigabyte en 13.285 nummers. *Für Alina*. Geboetseerde stilte en piano. Ik luisterde nog intenser dan anders. Waren de stiltes echte stiltes, zonder tuut, als eilandjes tussen de pianoklanken? En de piano, klonk hij nog even kristalhelder en sneeuwwit? Waren er klanken die ik niet meer hoorde? Was er muziek die nu anders klonk? Waren er akkoorden die vroeger zoet klonken en nu scherp en dissonant?

Ik klikte verder, kriskras door mijn muziekcollectie, en luisterde tot diep in de nacht. Ik dompelde mij onder in alle klanken waar ik van hield, in alle sferen en stemmingen die ze opriepen. Ik probeerde te luisteren naar wat ik niet meer hoorde. Die ene intro van Kimmo Pohjonen – klonk die nu anders? Hoorde ik die klagende vioollijn nog, heel hoog in dat ene lied? De hese knik in de rauwe stem van die ene zanger – was die er nog? Was er muziek die ik nooit meer zou kunnen horen als de gehoorschade blijvend was?

Vanuit een ooghoek zag ik het schermpje van mijn gsm uitdoven.

1 gemiste oproep:
Alina

Niet gehoord.

'Wat goed', zei Alina toen ik terugbelde.
    'Ja… en nee. Het is niet allemaal goed.'

'*Ei*, de tuut is toch weg?'

'Ja, maar… Ik hoor mijn ringtone niet meer. De tuut is weg, maar mijn perfecte gehoor is ook… wég. Die enkele minuten in de Cicero waren al te veel.'

'Het komt vast wel terug. Van één keer in een luid café ga je toch niet minder goed horen?'

'…'

Het werd stil aan de andere kant van de lijn. Te stil voor een gesprek met een droommeisje.

'Het komt wel goed', herhaalde ze. 'De tuut is toch ook vanzelf weggegaan?'

'Ik weet het niet…'

'…'

'Waarvoor belde je eigenlijk?'

'Ik wilde nog iets vragen over die taak van Frans, maar het is in orde hoor, ik had intussen Korneel aan de lijn.'

'O', zei ik. Meer niet. Dus niet: 'Rot toch op met je Korneel.' Maar toen toch: 'En Korneel wist ongetwijfeld het antwoord, niet?'

Ai, dat klonk veel te scherp.

'Jij hébt iets tegen Korneel, hè?' klonk het vermanend.

'Ik? Bwa.'

'Geef het maar toe.'

'Oké, ik geef het toe: ik heb iets tegen Korneel. Hij is een verwaand ventje dat denkt alles beter te weten. Vooral over muziek. En daar heb ik een hekel aan – iedereen moet van zijn eigen muziek kunnen houden zonder dat er een snuitertje staat te kwekken dat...'

'*Voi hitto*, Ludovic, hou op!'

Zucht. 'Sorry, het is dat hele gedoe met mijn oren... ik ben gewoon wat... overstuur.'

'Nee, je bent jaloers – en waarom eigenlijk? Korneel is gewoon een goede vriend. Niet meer, niet minder.'

'Laat het vooral niet méér worden.'

'Je bent grof.'

'Ik weet het.'

'Doe niet zo.'

'Ik kan het niet helpen.'

'Natuurlijk wel.'

'...'

Stilte. Een stilte die niet meer zo geweldig was als 's ochtends in de tuin. Het was een slechte stilte. Een gespannen stilte. Wie zegt als eerste iets?

Alina: 'Ik ga ophangen. Tot morgen – in een beter humeur, hopelijk. En blijf niet alleen maar piekeren over je oren. Wees blij dat de tuut weg is. Het komt wel weer goed. Oké?'

'...'

'Ludovic?'

'Ik weet het niet, Alina...'

'Wat weet je niet?'

'Luister: één keer was ik op het verkeerde moment op de verkeerde plaats. Een paar minuten in de Cicero – en dat was al goed voor een hele week een verschrikkelijke tuut in mijn oren. Zo zijn er misschien honderden plaatsen, waar zoiets kan gebeuren. Iemand zou daar toch iets kunnen tegen doen? Misschien... moet ík gewoon iets doen?'

'Hoezo, je moet iets doen?'

'Ja... Vrijdag. Ga jij vrijdag naar de Cicero?'

'Euh... Misschien wel, ik weet het nog niet. Maar waarom – jij komt toch zelf niet? Zou je daar nu niet beter wegblijven?'

'Nee, ik wil komen. Met oordoppen in.'

'Wat wil je daarmee bewijzen?'

'Dat die muziek veel te luid staat. Ik ben het levende bewijs dat het zo is.'

'En dan? Wat wil je eraan veranderen? Je denkt toch niet dat ze de muziek zachter zullen zetten omdat jij dat wilt? De oplossing is simpel: ga niét naar de Cicero.'

'Toch wel… Ik vind dat ik andere mensen moet waarschuwen. Jou, Alina. Iederéén. Wil jij dan het risico lopen om een week lang een tuut te horen? Of je oren te laten kapotmaken – stel je eens voor dat je van de ene dag op de andere je favoriete muziek helemaal anders hoort. Dat je andere mensen niet meer verstaat.'

'Ik weet niet of je veel gehoor zult vinden, Ludovic. De mensen willen gewoon dat het luid is. Soms is het gewoon leuker als het luid is, dat weet je toch ook?'

'Ik ga echt… de strijd aan, weet je. Een soort eenmansactie beginnen, ja, een strijd tegen lawaai.'

'Strijd tegen lawaai? Ludovic… Laat het geen obsessie worden. Ik heb je veel liever als je gewoon over muziek praat en mp3'tjes doorstuurt, weet je. Nu, ik ga ophangen.'

'Dag.'

Klik.

Ik zei het hardop tegen mezelf, tegen mijn gsm waarvan de schermverlichting doofde: *Alina, rakastan sinua, olen rakastunut sinuun.*

Wat als het nog een keer gebeurde? Misschien niet in de Cicero, maar in een ander café, in de bioscoop, tijdens een concert of ergens op een plein of een feest waar ik te dicht bij luidsprekers kwam waaruit de onvermijdelijke muzikale animatie werd geblazen? Wat zouden dan de gevolgen zijn? Weer een week de tuut, of langer. Voor altijd? Zou ik nog méér niet meer horen dan alleen maar die ultrahoge ringtone? Hoe de zee ruist, hoe een vogel zingt, hoe Alina iets fluistert? Zou ik ook sommige muziek niet goed meer horen – instrumenten, stemmen, klanken? Zo kon het gaan. De muziek waar ik gek op was, zou almaar meer gaten en vlekken krijgen, meer vervormd raken, als een schilderij met gaten en vlekken.

Die avond stond het vast: ik zou niet alleen meer het slachtoffer zijn. Ik zou niet meer ondergaan, ik zou handelen. Ik, Ludovic, zestien jaar, zou de strijd aangaan tegen de terreur van het geluid, de dictatuur van de decibels. Het was tijd voor actie.

DE
SOLDAAT
VAN . DE
STILTE

Hij kwam op woensdagmiddag. Voor de deur stopte een wit bestelwagentje met knarsende remmen en een bonkende muziekinstallatie. De chauffeur stak me zwijgend een balpen en een klembord toe waarop ik mijn handtekening diende te zetten. Amper had de balpen het papier geraakt, of de koerier rukte het klembord weer uit mijn handen, overhandigde een pakje en dook in zijn bestelwagentje, waar Khaled met een jammerend stemmetje en schurende keelklanken tekeerging. De koerier stoof weg alsof hij een vat hoogradioactief afval had afgeleverd.

Ongeduldig scheurde ik het pakje open. Daar was hij: mijn decibelmeter. De Volcraft Digitale Geluidsmeter SL-100. 49,99 euro had hij gekost, betaald met pa's creditcard op een internetsite waar ze elektronica verkochten. 'Iets voor de computer, pa.' De decibelmeter was groter dan ik had verwacht. Bovenaan had hij een pluchen dop, zoals op microfoons die je op tv zag bij straatinterviews. Eigenlijk zag hij er maar gewoontjes uit. En toch. Toen ik het ding in handen had, voelde ik me als een Lord die de Ring vasthad. Dit ding zou mijn wapen worden. Het was mijn *license to kill*. Cijfers kunnen niet liegen, ze waren onomstotelijk bewijs.

De geluidsthermometer op internet was duidelijk: boven de 75 decibel moest je opletten.

Ik stak het batterijtje in de decibelmeter en zette het ding aan. Er vormden zich elektronische cijfers die even twijfelden over hun rekenkundige mening, zoals een weegschaal.

40,1

stond er.

Zo luid was het dus in onze woonkamer. 45.6 in de garage, 66.8 in het berghok (de wasmachine draaide), 37.8 in de logeerkamer en 29.0 in mijn kamer. Een kuchje: 51.2. Het toilet doortrekken: 76.1. Het gerommel dat ik vanaf straat hoorde, bleek een stationair draaiende verhuiswagen. Hij vertrok met 82 decibel net toen ik er aan kwam - de twee verhuizers voorin keken me wantrouwig aan, net zoals de motorrijder die met 86 decibel voorbijstoof en de slagersvrouw die het bordje 'Gesloten' omdraaide naar 'Open' toen ik voorbijliep met de decibelmeter voor mij uit.

Ik trok de stad in, de stad waar ik de stille plekken kende: de bibliotheek, het stadspark 's morgens vroeg, de verkeersvrije straatjes in de doolhof van het oudste stadsdeel, de uitgestorven straten 's avonds laat in de winter, als je alleen het zoemen hoorde van de straatverlichting. Even goed kende ik de luide plekken: de ringweg waar het verkeer de stad uit raasde, de videotheek die soms een discotheek leek, net zoals de bowlingzaak waar mijn voorsprong op Klaas en Thijs zienderogen was geslonken toen zaterdagavond ook discoavond bleek te zijn. En natuurlijk was er het winkelcentrum, waar de muziek je overal tegemoet schetterde. Er was muziek in de gangpaden en elke winkel had zijn eigen soundtrack. Hoe hipper de winkel en hoe strakker de inrichting, hoe luider. Het luidst was het in Hot Shots, een kledingzaak voor skaters en surfers. Bij de ingang hingen twee grote flatscreens waarop MTV speelde en die de muziek tot in het kleinste hoekje van de winkel pompten.

SOME PEOPLE PAY FOR THRILLS BUT I GET MINE FOR FREE

Ik veinsde interesse in een paar wijde sportschoenen en ging in de buurt van één van de tv-schermen tussen twee rekken staan, waar ik ongezien de decibelmeter tevoorschijn kon halen. Mijn hart klopte in mijn keel.

76.2

stond er. Behoorlijk wat voor een kledingzaak - bijna zo luid als een verhuiswagen. Net toen ik de decibelmeter in mijn jaszak liet glijden, klonk een verveelde stem achter mij: 'Kan ik u helpen?'

Bijna betrapt.

Een kauwgomkauwend verkoopstertje keek me met een glimlach aan, maar het was zo'n professionele glimlach, die van haar gezicht zou verdwijnen zodra ik geen potentiële klant meer was.

'Wel, nee, eigenlijk niet, ik kijk gewoon...'

Het meisje kneep haar ogen samen alsof ze mij niet goed verstond – niet te verwonderen met al die herrie.

'Wat zeg je?'

'Ik zei dus: ik kijk gewoon even rond, maar toch...'

'Zeg het maar hoooorrr.' De verkoopster plantte één arm in

haar zij, waardoor haar shirtje wat omhoogschoof en er wat zonnebankbruine onderbuik boven haar broeksband werd geperst. Ze had een navelpiercing, zag ik.

'U kan mij niet helpen', riep ik haar toe, 'maar ik kan ú wel helpen.'

Het meisje bekeek me alsof ik haar had gevraagd wat de hoofdstad van Litouwen is. 'Hoe bedoel je?'

'Wel… euh... de muziek staat hier nogal luid.'

'O... de muziek. Luid?'

'Ja, tot 76.2 decibel, ik heb het zonet gemeten.'

'O... ee… dus… méten?'

'Wat zeg je?'

'U heeft de muziek dus geméten?'

'Hiermee.' En ik haalde de decibelmeter half uit mijn jaszak, de verkoopster deinsde lichtjes achteruit. '76.2 decibel! U moet weten: vanaf 75 decibel kunnen uw oren beschadigd raken. Als u een hele dag in dit lawaai moet werken, elke dag opnieuw, loopt u écht wel een risico.'

De verkoopster keek me een moment zwijgend aan, de kauwgom verhuisde van links naar rechts in haar mond. 'Ik werk maar parttime', zei ze ten slotte.

'Dan nog', probeerde ik. 'Die tv's staan echt véél te luid.'

De verkoopster draaide zich om naar de kassa, waar een collega prijskaartjes aan T-shirts bevestigde. 'Gwennie... Kom 'es...'

Gwennie kwam 'es.

'Gwennie, die jongen zegt dat de muziek hier te luid staat. Hij heeft het gemeten, met zijn... ding. Hij zegt dat onze oren kapot kunnen gaan.'

Gwennie was duidelijk niet onder de indruk van mijn wapen. 'Ja, én?'

'76.2 decibel', piepte ik nog.

'Kerel, waar bemoei jij je eigenlijk mee? Wij zetten de muziek hier toch zo hard als wij willen?'

'Ja, dat is duidelijk. Maar de klanten...'

Gwennie stond nu in aanvalsmodus. 'Luister es, ventje. Er heeft nog nooit iemand geklaagd over de muziek. Hot Shots is een zaak voor jonge mensen die zich graag eigentijds kleden, niet voor *creeps* zoals jij die komen meten hoe luid de muziek staat. Je bent een zielige nerd jongen, waar hou je je eigenlijk mee bézig? Stop er maar mee, of ik haal de directie erbij.'

Mijn eerste actie was niet bepaald een succes. Niet dat ik het meteen opgaf: mijn tijd kwam nog wel. Ik verliet het winkelcentrum met het voornemen doelgerichter te gaan werken.

Twee dagen later was het tijd voor de ultieme test: de Cicero. Vanaf de overkant van de straat bekeek ik de oorlogszone. Kleinere cafés mogen nooit boven 90 decibel gaan, had ik gelezen. En dat die 90 dan nog een piek was; eigenlijk moest het gemiddeld 85 zijn.

Er leek die vrijdagavond nog meer volk te zijn dan de vorige keer, de klanten stonden nu echt tot tegen de deur opeengepakt. Ik duwde mijn oordopjes in mijn oren. Zonder oordopjes de Cicero binnengaan, dat was als seks zonder condoom, autorijden zonder gordel of twee weken zonnen aan een mediterraan zwembad zonder zonnebrandcrème. Ik ging naar binnen.

Mijn oren zaten dicht, maar de muziek kwam nu op andere manieren mijn lichaam binnen. Ik voelde de bassen in mijn maag, in mijn hoofd, in mijn onderbuik. Ik wurmde mij voorbij Dieter, die me hard op de schouder sloeg en iets in mijn oor riep dat ik niet kon verstaan. Ik glimlachte en stak mijn duim omhoog. Ook Thijs kwam voorbij en schreeuwde me iets toe. Ik lachte en stak mijn duim weer omhoog. Thijs keek verongelijkt, schudde met zijn hoofd en liep door - misschien had ik niet moeten lachen om wat hij zei. Ik zag Alina, die een T-shirt droeg dat de aandachtige kijker flink beloonde. Het was wit met een donkerblauw kruis erop – de Finse nationale vlag. Ze stak haar hand op en fronste haar wenkbrauwen. 'Wat doe jij hier?' zag ik haar denken. Niet ver uit haar buurt stond Korneel, al helemaal in extase. Voor het eerst droeg hij geen geruit hemd, maar een T-shirt met opschrift 'United States'.

Ik haalde de Voltcraft SL-100 uit mijn binnenzak en duwde op de rode knop.

92.4

Ik probeerde me te herinneren wat de geluidsthermometer zei over 92.4 decibel. Hoe lang mocht er 92.4 decibel over je heen komen? Wel vijf minuten liet ik de decibelmeter aanstaan, half verscholen. Nooit verscheen er een cijfer lager dan 90.

Iemand tikte op mijn schouder. Alina. Ik toonde haar de decibelmeter en het cijfer dat op het schermpje stond. Het schommelde nu tussen 92.0 en 93.8.

Alina was niet echt onder de indruk. Dat ik een freak was, dat zag ik haar denken. Ze zei iets, maar dat kon ik met de oordopjes in niet verstaan.

'Je moet hier weg!' riep ik in haar oor. Ik hoorde mezelf in een vage echo. 'Tot 93.8! Dan kunnen tien minuten al te veel zijn. Als je ooit nog helemaal van muziek wilt kunnen genieten, dan moet je nú mee.'

Ik zag het al helemaal voor mij. Ik die Alina bij de hand nam en haar mee naar buiten loodste, met mijzelf als stormram. Buiten aan de deur zou ze me dankbaar aankijken en zonder nog een woord te zeggen zou ze mijn hand nemen en samen zouden we wegwandelen van deze geluidshel. (We zouden ook heftig zoenen, minutenlang, vooral dat.)

'Kom! Nu!'

Mijn smeekbede had weinig succes. Alina werd boos – dan trok ze altijd op onaantrekkelijke wijze haar neus op en verwijdden haar neusgaten zich al even onaantrekkelijk. Ze riep iets – ik kon haar niet horen en aan haar gezicht ook niet afleiden wat, maar een liefdesverklaring was het alleszins niet. Wellicht was het iets Fins.

'Ik doe dit voor óns', riep ik.

Dat verstond zij dan weer niet – ze schudde haar hoofd en wees naar haar ene oor.

'Alina, rakastan sinua, olen rakastunut sinuun', gooide ik eruit, boos en roekeloos.

Een jongen met vier bekertjes bier tussen zijn handen geklemd werkte zich tussen ons door. Toen hij weg was, was ook Alina verdwenen.

Plots doofden de spots en baadde de Cicero in stroboscopisch licht. Er klonk gejuich en geschreeuw. De muziek denderde in alle hevigheid door me heen, het voelde veel luider aan nu. De decibelmeter schoot met een ruk omhoog naar 95.8. De dj stond niet meer achter de toog, maar had zijn geluidsinstallatie wat opgeschoven in de richting van de paar vierkante meter die dansvloer waren geworden. Hij sprong ter plekke op en neer, als een hoogspringer vlak voor zijn aanloop, en hield beide armen in de lucht. De hele Cicero volgde zijn voorbeeld. Het was een hotsen en botsen van lijven. Iemand trapte op mijn tenen. Een scheut bier vloog in mijn nek. Ik perste me langs twee jongens die er amper dertien jaar uitzagen naar achteren toe, daar was er licht en lucht.

99.8

Op één van de banken achterin zat Max, hij keek roerloos naar de dansende Cicero. Naast hem lagen enkele rugzakken, daartegen leunde een meisje met een wit T-shirt dat ijverig aan het tongzoenen was met... Een wit T-shirt. Met een donkerblauw kruis erover. Alina. En langs haar heen kronkelde een lang lijf in een T-shirt met opschrift 'United States'. Korneel. Zijn hand gleed over het donkerblauwe kruis – hij palmde Alina's rug en vaderland in, voor mijn ogen werd Finland door de United States ingelijfd. Ik wankelde naar achteren, botste tegen een losgeslagen danser en kreeg een duw, waardoor ik tegen twee meisjes aanvloog. Ze gilden en weerden mij af met snelle, kattige klapjes van hun handen. Twee handen grepen mij vast en draaiden mij om. Een kerel met gel in het haar en een roze pull over de schouders porde met beide wijsvingers op mijn borst. Ik schuifelde achteruit van hem weg, tot ik mij vastliep op een rij die aan de bar stond aan te schuiven. Ik struikelde en ging hard tegen de vlakte. De decibelmeter liet ik vallen, op handen en voeten ging ik erachteraan.

Het stroboscopisch licht veranderde naar diepblauw. Er begon weer andere muziek. Ik zat op handen en voeten op de vloer, die vies was en kleefde en bezaaid was met vertrapte plastic bekertjes, gescheurde folders, resten chips en een onbekende slijmerige substantie. Ik vond de decibelmeter en liet hem in mijn jaszak glijden. Toen ik overeind krabbelde, werd ik vastgegrepen en van de grond getild door een kerel met het lijf van een bodybuilder en de kop van een stier. Hij droeg een strak wit T-shirt met opschrift 'Cicero – Music rules!'. In zijn nek pulseerden een paar aders, in zijn armen waren spieren te zien als elektriciteitskabels. Hij sleepte me naar de uitgang, de deur ging voor me open en ik kreeg nog een flinke zet mee, waardoor ik op het trottoir belandde en onzacht tot stilstand kwam tegen een geparkeerde auto.

Mijn eerste actie als Soldaat van de Stilte was roemloos geëindigd.

Ik liep terug naar huis, het hele eind, een halfuur lang. Rond mij gromde en rochelde de stad als een vulkaan in werking. In een winkelstraat kwam een gele Seat traag voorbijrijden. De auto had dikke banden, opzichtige spoilers, verduisterde ruiten en op de voorruit een zonneband met opschrift *No fear*. Doorheen de hele carrosserie daverde loeiharde techno. Voetgangers keken misprijzend om, maar de bestuurder leek zich van geen kwaad bewust en zat als versteend in zijn kar, zijn rechterarm gestrekt op de bovenkant van het stuur. Onder zijn petje bewoog alleen het puntje van zijn kin ritmisch mee met de bonkende bassen.

Ik scheurde een bierviltje in wel twintig stukjes. Er stond een foto van de Eiffeltoren op, maar ik zag enkel het beeld van Alina in haar Finland-T-shirt, languit op de bank met Korneel. Ik had Alina weggeduwd, ik, met mijn geluidsobsessie, ik was nog een grotere nerd geworden dan Korneel. Daar dacht ik aan, maar ik zei: 'Bijna voortdurend meer dan 90 decibel, pa. Met een piek tot 99.8.'

Alsof dat het enige was wat er mij was bijgebleven.

We zaten in bistro Espuma, waar we op vrijdagavond wel vaker heen trokken als Stefs muzikale vrienden langskwamen.

Pa zuchtte. 'Je zou veel beter wegblijven uit die cafés. Je wéét hoe gevoelig je bent aan je oren – of wil je weer een week met een tuut in je oren opgescheept zitten? En nog wat meer van je gehoor kwijtraken?'

'Ik had mijn oordoppen in, pa. Ik wilde gewoon bewijzen dat die muziek veel te luid staat. 99.8 decibel in dat café, dat is toch misdadig?'

'En wat wil je daaraan doen, Ludovic?'

'Tja, wat kán ik daaraan doen?'

Pa zuchtte en viel daarmee in herhaling. 'Probeer je er niet zo over op te winden. De mensen willen lawaai, nou, láát ze dan.'

Bistro Espuma was die avond niet zo rustig als anders. Meestal klonk er een jazzmuziekje onopvallend op de achtergrond, maar nu schalden enkele prehistorische discohits door de luidsprekers.

AND WHEN THE RAIN BEGINS TO FALL,
I'LL BE THE SUNSHINE IN YOUR LIFE

'Ook hier staat de muziek véél te luid', zei ik, hardop in mezelf. 'We kunnen elkaar amper verstaan!'

'Daar heb je gelijk in.'

'Waarom wordt ons toch overal muziek opgedrongen?'

'Je hebt gelijk, jongen, ik weet het. Zal ik er een opmerking over maken tegen de serveerster?'

'Dat durf je niet, pa.'

Als je dat tegen pa zei, durfde hij zeker.

De serveerster kwam onze bestellingen opnemen. 'Ja?' zei ze kortaf. 'Keuze gemaakt, ja?'

Pa gaf de bestelling door, kuchte toen even en zei: 'Juffrouw, zou ik eens een opmerking mogen maken. Euh... zou de muziek iets zachter kunnen, alstublieft?'

De serveerster fronste haar wenkbrauwen.

'De muziek? Zachter?' Ze keek alsof we haar hadden gevraagd zich ter plekke uit te kleden.

'Ja, het staat nogal hard. We moeten moeite doen om elkaar te verstaan. Het is storend, echt.'

De serveerster rechtte haar rug. Ze leek beledigd. 'Die muziek staat toch helemaal niet hard? En ik vind het tóffe muziek.'

'Maar wij niet. En zeker niet zo luid. De mensen komen toch naar een bistro om iets te eten en wat te praten? Niet om naar muziek te luisteren...'

'Daar heeft nu nog nooit iemand over geklaagd, weet u?'

'Iemand moet de eerste zijn, juffrouw. En wij zijn vast niet de enigen die zich hier storen aan de muziek.'

'Nee? Misschien zijn jullie wat overgevoelig?'

'Misschien bent u wel ongevoelig geworden, als u dit urenlang aanhoort?'

De serveerster zuchtte en bekeek ons met een vuile blik. 'De klant is koning, nietwaar?'

En weg was ze – ze kwam niet eens in de búúrt van de volumeknop.

'Zie je nu wel', zei ik.

'Het is waar, jongen', vatte ma samen. 'Mensen maken maar lawaai alsof het niets is. Je hebt groot gelijk dat je er iets aan wilt doen. Kun je dat eigenlijk nergens melden, van de Cicero? Bij een of andere inspectiedienst of milieutoezicht of zo? Je hebt zelf gezegd dat de wettelijke grens op 85 decibel ligt - dus doen ze in dat café toch iets dat wettelijk gezien niet mag? Je zou een mail kunnen sturen naar het stadsbestuur.'

'Alsof dat iets uithaalt.'

'Je kunt het altijd proberen. Dat lees je toch soms in de krant, dat een café moet sluiten wegens geluidsoverlast?'

Waarom niet? Waarom niet proberen via de officiële instanties? Daar waren ze toch voor – om de burgers te beschermen tegen allerlei gevaren?

De website van de stad leidde me naar de rubriek 'Geluidshinder'.

U kunt bij de Dienst Milieutoezicht terecht voor klachten omtrent milieuovertredingen, waaronder ook klachten over geluidshinder. U kunt de klacht melden per telefoon, aan het loket van de Dienst

Milieutoezicht, per fax, per post en per e-mail. De dienst zal uw klacht onderzoeken en een mogelijke oplossing uitwerken. Daarvan wordt u schriftelijk op de hoogte gebracht.

Tot één uur 's nachts schreef ik aan een mail waarin ik beschreef wat er was gebeurd in de Cicero. Ik vertelde over de tuut en de gehoorschade. Ik hield de toon van de brief zo rustig en zakelijk mogelijk, zeker niet te emotioneel, want dan werd je niet ernstig genomen. En zeker niet als er tik- of taalfouten in de mail stonden. Ik drukte zonder veel overtuiging op 'send'.

Het leek bijna een grap: een jongen van zestien, die het toch juist leuk en spannend zou moeten vinden om na school naar een café met hippe muziek te gaan, die klaagde dat de muziek te luid stond. Het leek eerder een mail van mopperende buurtbewoners die je nu en dan in de krant zag staan, met een grimmige gelaatsuitdrukking, beschuldigend wijzend naar een te hoog voetpad, een te lage omheining of een onbestemd punt in de verte waar de geurhinder vandaan kwam.

Beneden op het scherm flikkerde het msn-icoontje.

Max zegt: lol

Max was dus nog online. Natuurlijk was Max online. Max was al zijn hele leven online. Max was zo'n digitale addict die zodanig met zijn computer was vergroeid dat hij zijn eten downloadde en wakker werd met een upgrade van zichzelf.

Max zegt: Wa was da in Cic?
Ludovic zegt: Actie tegen te luide muziek!
Max zegt: Iedereen zag het
Ludovic zegt: maar niemand deed iets...
Max zegt: :)
Ludovic zegt: tot 99.8 decibel, man. Iedereen stond daar ter plekke gehoorschade op te doen
Max zegt: -.-
Ludovic zegt: Is toch erg?
Max zegt: -.-

-.- was Max' favoriete smiley. Het betekende iets als: 'Whatever...', 'Wat ben jij toch een zeur' en 'Waar wind jij je toch allemaal over op?' gecombineerd met 'Soms ben je vermoeiend' en 'Je bent eigenlijk een beetje een rare', maar je kon niet van hem verwachten dat hij al die zinnen ook intikte, zeker niet als hij tegelijk de download van de recentste films in het oog moest houden én rondzwierf in *World of Warcraft*.

Ludovic zegt: Heb klachtenmail gestuurd. Naar stad.

Max zegt: Pff

Max zegt: Haalt niets uit. Mensen sturn veel klachtn

Ludovic zegt: Grrr

Ludovic zegt: Wat anders?

Max zegt: Milieutoezicht zou zelf moeten mailn naar Cic. Dreigen met onverwacht contrl. Boetes.

Ludovic zegt: Dat doen ze toch niet

Max zegt: Doe het zelf

Ludovic zegt: hoe moet ik dat doen?

Max zegt: wacht ff

Max zegt: You've got mail

Ja, ik had mail. De afzender was: ikzelf, met mijn eigen e-mail-adres. Onderwerp: Grtz van Max.

Toen kreeg ik nog een mail. De afzender was: Alina. Helemaal haar e-mailadres. Onderwerp: Grtz van Max.

En nog eentje. De afzender was: de schooldirecteur. Helemaal zijn e-mailadres. Onderwerp: Grtz van Max.

Max zegt: skype eens

'Zoiets kan dus écht, een mail sturen vanuit iemand anders naam?'

'Ja, duh... Dat heb ik nu toch getoond? Je kan natuurlijk altijd een account maken bij Gmail of Hotmail met een valse naam, maar dan blijft er .gmail.com of .hotmail.com in het adres staan. Met dit programma lijkt het helemaal echt.'

'Kan ik ook... zoiets?'

'Yep. Klein programma. Niet moeilijk.'

'Dus wat wil je zeggen? Dat ik nepmails moet rondsturen?'

'Ik zeg niets. Je doet wat je wilt.'

'Kan je mij dat programma sturen?'

'Yep. Maar... voor wat hoort wat...'

'Ja, ja, natuurlijk. Ik zal... ik zal je Engelse boekbespreking maken. Oké?'

'*Ké.*'

'Is dat veilig, dat programma? Kan iemand achterhalen van wie de mail écht komt? Ben ik... euh... opspoorbaar?'

'Daarvoor moeten ze al met een gerechtelijk bevel naar je internetprovider stappen. Maar pas op dat je jezelf niet verraadt.'

'Hoe bedoel je?'

Max zuchtte de zucht van een computerexpert die aan een huis-tuin-en-keukengebruiker moet uitleggen wat een pdf is. 'Als ik in *jouw* naam een mail stuur naar iemand, en die antwoordt op de mail, dan krijg *jij* het antwoord. Dat is natuurlijk niet de bedoeling, want dan komt het bedrog uit. Je kunt dus het best een e-mailadres gebruiken dat heel erg lijkt op het echte, maar eigenlijk niet bestaat. Een puntje of streepje erbij of zo.'

'En als iemand dan antwoordt op die mail...'

'Krijgt hij een foutmelding. Beter dat dan dat het bedrog uitkomt.'

'Denk je dat cafébazen een reply sturen op een officiële mail?'

'*Dunno.* Schrijf dat ze de brief ook per post zullen krijgen. Dat komt officiëler over. Ik mail het programmaatje door.'

Er verscheen een klein venstertje. Bovenaan stond:

Van: <u>vulhier@iemand.in</u>
To: <u>kies@je.slachtoffer</u>
Host: out.naamvanjeprovider.be
Poort: 25
Aantal mails: (van 1 tot ...)

Ik testte het eerst zelf uit. Ik stuurde mijzelf tien e-mails, zogezegd verzonden met het echte e-mailadres van pa. Het lukte. Ik stuurde mezelf tien e-mails die waren verstuurd door het echte e-mailadres van Max. Het lukte. Ik stuurde mezelf tien e-mails van Alina. Het lukte.

Op de site van de stad vond ik al snel de naam van het Diensthoofd Milieutoezicht. Ik hoefde in zijn e-mailadres enkel een punt toe te voegen tussen zijn voor- en familienaam – het zag er nog altijd even officieel uit. Het e-mailadres van de Cicero vond ik op hun website.

Ik tikte. Snel.

Uw ref. Dossier nr. 082-GLA-7826-KTH

(Dat klonk al erg gewichtig.)

Mevrouw, mijnheer,
beste horeca-exploitant,

Op 23 september ll. bezocht één van onze anonieme controleurs uw zaak, Café Cicero. Hij controleerde toen het geluidsniveau met een geijkte decibelmeter. Het gemiddelde geluidsniveau bedroeg 91,2 decibel. Er werd een piek geregistreerd van 99.8 decibel. Dit is absoluut ontoelaatbaar en schadelijk voor wie uw zaak bezoekt.

Wij vragen u, uit hoofde van de burgemeester, maatregelen te nemen om het aantal decibels in uw zaak terug te schroeven.

Eén van de komende weken zal onze anonieme controleur opnieuw langskomen. Als hij dan vaststelt dat het geluidsniveau niet is gedaald onder de wettelijke norm van 85 decibel, riskeert u een boete van 500 euro. Bij herhaalde overtredingen kan uw zaak op last van de burgemeester preventief een maand worden gesloten.

U zult dit schrijven eerstdaags ook per gewone brief ontvangen. Wij raden u in afwachting daarvan stellig aan alvast de nodige stappen te ondernemen.

Vriendelijke groeten,

Frans Roosen,
hoofd Dienst Milieutoezicht

De cursor op het scherm knipperde uitdagend. Het icoontje 'verzenden' bovenaan de mail leek plots veel groter dan het was.

Ik twijfelde.

Tot dusver had ik niets strafbaars gedaan. Ik had twee verkoopsters erop gewezen dat de muziek in hun kledingwinkel erg hard stond en ik had een meting verricht in een café, waar ik hardhandig buiten was gezet. Ik had, zoals een boze maar brave burger, een klachtenmail gestuurd naar het stadsbestuur. Maar wat ik nu zou doen, was zonder enige twijfel verboden, ja zelfs strafbaar. Misschien kwam het nooit uit dat de mail vals was. Misschien wel, maar kraaide er geen haan naar. Of misschien diende Cicero wel een klacht in en ging de politie natrekken van wie de mail écht kwam. Een IP-adres liegt nooit, had Max nog gezegd: als ze je willen vinden, dan vinden ze je.

Ik zette iets in gang waarvan ik het einde niet kon voorspellen.

En toch.

Ik klikte.

Agent Edward klikte. Hij hield op met tikken, leunde achterover en zei: 'Je weet het zelf maar al te goed, jongen. Wat je deed, is natúúrlijk strafbaar. Valsheid in geschrifte, heet dat. Plus het gebruik van een valse identiteit, met als verzwarende omstandigheid dat het hier een ambtenaar in functie betreft. Het hoofd van de Dienst Milieutoezicht nog wel.'

'Maar het werkte... De volgende dag liep ik langs de Cicero en ik hoorde amper muziek. De week erna hoorde ik van Thijs dat de muziek op vrijdag veel zachter stond en dat iedereen zich afvroeg wat er aan de hand was.'

De agent zuchtte. 'Goed, het werkte bij de Cicero. Maar je hebt het daar niet bij gelaten. Je hebt nog meer valse mails verstuurd.'

'Ja,' zei ik gelaten, 'ik wilde zien hoever ik kon gaan.'

'Te ver, laat dat duidelijk zijn.'

Ja. Te ver. Had ik alleen dat ene mailtje gestuurd, dan was de Cicero misschien voor altijd een aangenamere plek geweest. Niemand had ooit iets vermoed, wellicht was de uitbater nog maanden doodsbang geweest voor een controle en een boete.

Maar ik ging verder. Ik werd overmoedig en dat is een slechte eigenschap van een goede soldaat. Zo'n soldaat waant zich onsterfelijk, maar wordt geveld door een achtergebleven sluipschutter of trapt op een landmijn. Ik stuurde een tiental soortgelijke mails, onder andere naar de bowlingzaal en de videotheek. En naar Hot Shots.

'Gelukkig, nu ja, ongelukkig voor jou natuurlijk, stuurde de bedrijfsleidster van die kledingzaak een reply op jouw mail. Ze vond het een beetje vreemd dat er in die mail werd verwezen naar *uw zaak, Café Cicero*. En toen ze een foutmelding kreeg, ging ze persoonlijk naar de Dienst Milieutoezicht. En daar hadden ze natuurlijk nooit gehoord van zo'n mail. Diensthoofd Roosen viel bijna van zijn stoel toen hij een print te zien kreeg van een mail waarop hij als afzender stond, maar die hij nooit had verstuurd.'

'Tja.'

Meer kon ik niet zeggen. Het wás niet slim geweest. Een echte beginnersfout was het, zoals een sollicitant die vergeet zijn briefhoofd aan te passen als hij naar tien bedrijven tegelijk mailt.

'Het was allemaal in de... euforie van mijn mail naar de Cicero, toen ik zag dat hij effect had.'

'En je liet het niet bij die valse waarschuwingsmails van de Dienst Milieutoezicht. Je begon ook te *spammen*.'

'Het mailverkeer zit vol spam tegenwoordig - wat maakt het uit?'

'O, het maakt niets uit, vind je? Heb je er een idee van hoe bedreigend het kan zijn als iemand een paar duizend mails in zijn mailbox ziet binnenrollen?' Edward bladerde door de papieren waarmee hij was binnengekomen. 'Afzender: Soldaat van de Stilte. Onderwerp: Waarschuwing. Boodschap: *Beste exploitant, als u niets doet aan de geluidshinder die u veroorzaakt, zou u wel eens schade kunnen ondervinden*. En daarna nog eens tweeduizend mails met reclame voor Viagra en navelpiercings.'

'Die stuurde ik alleen naar die kledingzaak. Ik laat mij geen zielige nerd noemen door een breezersletje.'

'Bedreiging en belaging – zo zouden we dat kunnen noemen. Komt bovenop de valsheid in geschrifte en het gebruik van een valse identiteit.'

Agent Edward ging achteroverzitten op zijn stoel. 'Goed, ik neem aan dat het in dezelfde' – hij maakte met zijn vingers aanhalingstekens in de lucht – 'euforie was dat je... nog verder bent gegaan. Want die e-mails en die spam, dat was maar één onderdeel van jouw campagne, is het niet? Een campagne die vanavond gelukkig eindigde, maar goed, we lopen op de zaken vooruit.'

Met een decibelmeter kon ik enkel vaststellen, niet ingrijpen. En ik wilde zo graag ingrijpen – ik wilde Hot Shots nog een lesje leren. Op het internet vond ik een website die Tv-B-Gone heette. Tv-B-Gone was de naam van een klein apparaatje, niet groter dan een autosleutel, waarmee je elke willekeurige tv kon afzetten. Op de website overheersten jaren '50-kleuren, wellicht verwijzend naar het pre-digitale tijdperk, toen het nog heel wat gemoedelijker en stiller was. (Dat de wereldbevolking toen maar half zo groot was, zal ook wel geholpen hebben.) De technische uitleg ging mijn verstand wat te boven, maar ik begreep dat het apparaatje in één minuut tijd alle mogelijke tv-frequenties afliep en dat in die tijd dus elke tv uitfloepte als je er naar richtte.

De Tv-B-Gone werd de week erna geleverd. Zelfde koerier, zelfde bestelwagen, zelfde Khaled. Ik testte het ding eerst thuis uit, alleen. En ja: het werkte. Ik testte het ook 's avonds uit, toen pa langzaam in slaap sukkelde bij een Champions Leaguematch op tv. Ik wachtte tot die woeste Gattuso van AC Milan in beeld verscheen en drukte op de Tv-B-Gone die ik in mijn handpalm verscholen hield.

Flits.

Weg woeste Gattuso. Weg tv.

Pa schoot wakker uit zijn sluimer. 'Hé... Maar... waarom zet jij de tv uit?'

'Ik? Ik heb niets uitgezet, pa. Ik ben niet eens in de buurt geweest. En kijk: de afstandsbediening ligt daar op het salontafeltje.'

Pa krabbelde overeind en zette het toestel weer aan. 'Ach, die tv krijgt kuren. Het wordt tijd voor een nieuwe, denk ik.'

Ik trok richting winkelcentrum en kledingwinkel Hot Shots. Eerst liep ik de winkel voorbij. De tv's hingen er nog, en ze stonden nog even luid.

CHANGE MY PITCH UP
SMACK MY BITCH UP

Ik verschanste me in de hal van een sieradenwinkeltje op een paar meter van Hot Shots. Ik liet de Tv-B-Gone losjes langs mijn lichaam hangen, alsof het sleutels waren die ik vasthad. Volgens de handleiding kon het een minuut duren eer een tv uitging, maar hier duurde het niet eens tien seconden. De tv's aan de ingang van Hot Shots floepten tegelijk uit. Nog nooit heb ik iemand zo lang naar een uitgeschakeld tv-scherm zien kijken als Gwennie die dag.

Vijf minuten later liep ik nog eens langs. De tv's stonden weer aan, maar één druk op de knop van mijn Tv-B-Gone volstond. En ja, ik weet dat het flauw is, maar ik ging ook een derde keer langs. En een vierde keer.

De Tv-B-Gone was een handig ding om op zak te hebben. Het leek me ook volstrekt legaal; volgens mij was er geen enkele wet die verbood om een tv op een openbare plaats uit te schakelen. Ik zal niet zeggen dat het belééfd is, maar goed: mensen die een tv keihard zetten vind ik ook niet beleefd. Maar hoe geweldig de Tv-B-Gone ook was: ik kon er niets mee veranderen, ik stemde niemand tot nadenken en ik bracht al zeker niemand tot inkeer.

Ik moest gerichter werken. Persoonlijker.

Strooibriefjes: eenvoudig en bijna zonder risico. Er kwam geen direct contact met een tegenstander aan te pas – al moest je wel altijd op je hoede zijn dat je niet werd betrapt. Nadeel: het effect was vluchtig en het resultaat onzeker. Niettemin de moeite waard om het te proberen.

Ik printte kaartjes met de boodschap:

> Ssst! Gelieve de rust van
> uw buren te respecteren.

> Ssst! Denk aan de buren zet de tv of
> muziekinstallatie niet te hard.

> Doe een ander niet aan wat je zelf niet
> aangedaan wil worden.

> **23% van de Europeanen vindt dat er te veel lawaai is in hun buurt.**
> **(Onderzoek Eurostat)**

Sommige kaartjes ondertekende ik met 'Soldaat van de Stilte', andere gewoon met 'Ssst!'. Met een stapel kaartjes op zak trok ik de stad in en stak ze lukraak in brievenbussen van huizen en appartementsgebouwen.

Voor lawaaierige winkels had ik een eigen versie:

> **Moet die muziek écht zo luid?**
> **Decibels omhoog, omzet omlaag**

Sommige hing ik in de winkel zelf op met plakband. Niet al te opzichtig, ergens op een plaats waar ik dat ongezien kon doen maar waar winkelpersoneel het briefje toch zou vinden. Hot Shots kreeg er natuurlijk ook eentje.

Na enkele dagen verhardde ik de toon.

> **Geluidsoverlast veroorzaken kan onaangename gevolgen hebben.**

Voor winkeliers werd dat:

> **Geluidsoverlast kan uw zaak schade toebrengen. Zet de muziek zachter.**

Je mag het laf noemen; het was vooral opwindend.

Ik maakte verschillende kaartjes, op verschillende soorten papier en in verschillende lettertypes, soms met een tikfout erin. Zo konden bewoners en winkeliers denken dat er achter Ssst! verscheidene personen schuilgingen, ja zelfs een hele organisatie. Een paar keer werd ik bijna betrapt, toen een bewoner van een appartementsgebouw net zijn brievenbus kwam leeghalen.

Zouden die kaartjes iets hebben veranderd? Zou iemand erdoor aan het denken zijn gezet? Misschien, misschien niet. Het waren kwajongensstreken waar de mensen de schouders over ophaalden. Misschien leidden ze zelfs tot ruzies omdat buren er elkaar van verdachten de kaartjes in de brievenbus te hebben gestopt – en dat was nu ook niet de bedoeling. En toch hadden de kaartjes effect, want ze zetten een grootse machine in gang die me hielp om de aandacht te trekken. Een machtige, onstuitbare machine, die een geruchtje kan doen aanzwellen tot een kanonschot: de media.

Het was een krantenartikel dat evengoed níét geschreven had kunnen zijn. Maar goed: een nieuwsarme tijd, een dreigende lege plek in de krant en een handige journalist die een onbeduidend nieuwsfeitje wat opklopt. Meer is er niet nodig. Het artikel verscheen bovenaan de bladzijde regionaal nieuws. Er stond een grote foto bij van de bedrijfsleidster van Hot Shots, die één van mijn kaartjes toonde. Het onderschrift luidde: *Hilde Vanderschueren, bedrijfsleidster van kledingzaak Hot Shots, toont het kaartje dat aan een kledingrek hing. 'Mijn verkoopsters voelen zich niet meer veilig.'*

MYSTERIEUZE CAMPAGNE TEGEN LAWAAI

Bewoners en winkeliers bedreigd

Het centrum van de stad is in de ban van een actie tegen geluidsover-last. De voorbije weken kregen tientallen bewoners en handelaars anonieme kaartjes in de bus waarin wordt opgeroepen minder lawaai te maken. De briefjes zijn ondertekend met 'Ssst!' of met 'Soldaat van de Stilte'. Er is ook sprake van dreigmails. De politie onderzoekt de zaak. 'Wie het ook is, hij of zij gaat te ver', reageert politiewoordvoer-der Stefan Smet.

Het leek eerst een kwajongensstreek. Enkele bewoners vonden een kaartje in de bus met daarop: 'Ssst! Gelieve de rust van uw buren te respecteren'. Soms ging het om mensen die even daarvoor thuis een etentje hadden georganiseerd, maar anderen hebben geen flauw idee waarom ze zo'n briefje kregen. Niemand van hun buren zegt iets met de zaak te maken te hebben. Ook verscheidene winkels kregen een kaartje. De briefjes zijn met de computer gemaakt en bevatten telkens een slogan tegen geluidsoverlast. De verschillende prints en het feit dat sommige boodschappen taalfouten bevatten en andere niet, doen vermoeden dat deze actie het werk is van meer dan één persoon.

De laatste tijd werd de toon van de briefjes grimmiger en zelfs dreigend. Sommige bewoners werden gewaarschuwd voor 'onaangename gevolgen', middenstanders zouden dan weer 'schade' lijden.

'Eerst lachten we er eens om', zegt Hilde Vanderschueren, bedrijfsleidster van kledingzaak Hot Shots in het winkelcentrum. 'Maar toen de dreigbriefjes kwamen, hebben we er de politie bijgehaald. Dit gaat te ver. (zucht) Mijn verkoopsters voelen zich niet meer veilig in de winkel – dit moet stoppen!'

Mogelijk is er een verband met een jongen van naar schatting 15/16 jaar oud die onlangs in diezelfde kledingzaak klaagde dat de muziek te luid stond – hij had zelfs een decibelmeter bij zich om dat te bewijzen. De politie wil dit spoor echter niet bevestigen.

'Wat we wél willen bevestigen, is dat er een onderzoek loopt. Dit is geen kwajongensstreek meer. Dit zijn bedreigingen, en bedreigingen zijn strafbaar', aldus woordvoerder Smet. 'Ik kan hier trouwens aan toevoegen dat deze stad helemaal geen probleem heeft met lawaai. Het voorbije jaar is het aantal klachten over geluidsoverlast gedaald met 7 procent. Wij doen er alles aan om deze stad voor iedereen zo aangenaam mogelijk te houden.' (AS)

's Avonds nam de regionale tv-zender, die ook om nieuws verlegen was, het krantenbericht over. De presentator keek zorgelijk. 'Het centrum van de stad is in de ban van een anonieme actie tegen lawaai', begon hij. Volgens hem hadden geen tientallen maar honderden inwoners een briefje gekregen. De bedrijfsleidster van Hot Shots kwam opnieuw aan het woord, net als politiewoordvoerder Smet. Ze zeiden ongeveer hetzelfde als in de krant, maar Smet voegde er aan toe 'een heel duidelijk spoor te volgen'. Ik zapte snel weg toen pa binnenkwam. De krantenpagina met het artikel had ik eruit gescheurd: 'Had ik nodig voor school...'

De volgende dag pikten andere kranten het verhaal op; het verhuisde ook van het regiokatern naar de nationale pagina's. De honderden inwoners werden er duizenden. Eén krant wist dat er ook valse e-mails uit naam van de Dienst Milieutoezicht waren gestuurd (de journalist kende politiewoordvoerder Smet persoonlijk en had dus meer informatie losgekregen), een andere krant hield prompt een rondvraag in een aantal grote steden hoe het was gesteld met klachten over geluidsoverlast.

Ik kocht alle kranten en knipte de artikelen uit. De persaandacht gaf mij een boost. In één avond tijd postte ik vijfhonderd kaartjes, wat tot weer nieuwe artikelen leidde.

CAMPAGNE TEGEN LAWAAI VERHARDT

SOLDAAT VAN DE STILTE HOUDT STAD IN Z'N GREEP

POLITIE: 'TIENTALLEN OPROEPEN VAN ONGERUSTE BURGERS'

Max zegt: lol
Max zegt: dat ben jij, die actie tegen lawaai!

Max gebruikte een leesteken en schreef woorden voluit, dus het was hem menens.

Ludovic zegt: Wie? Wat?
Max zegt: actie tegen lawaai. Is in alle kranten
Max zegt: Je moet stoppe. Ze gaan je pakke
Ludovic zegt: Jij bent medeplichtig. Jij hebt me het computerprogramma gegeven :-)
Max zegt: maar jij hebt mails gestuurt
Ludovic zegt: Gestuurd met een d achteraan, Max.
Max zegt: -.-
Max zegt: Stop r mr mee
Ludovic zegt: nu nog niet.
Max zegt: Wrm?
Ludovic zegt: Het gaat nu goed. Ik moet doorgaan. En iets GROOTS doen.
Max zegt: omg. je klinkt als psycho.

Ludovic zegt: lol

Max zegt: Let mr op. Gaat zo in alle boeken en films. Zoals die seriemoordenaars. Ze kunnen niet stoppe en dan wrdn ze gepkt

Ludovic zegt: ik niet

Max zegt: hum. Denk je?

Max zegt: weten ze het thuis?

Ludovic zegt: tuurlijk niet. Ik scheur de artikelen er meteen uit.

De knipperende cursor vroeg om een vervolg.

Ludovic zegt: kan nu niet stoppen. Iedereen heeft het erover.

Max zegt: dan is je doel toch bereikt?

Ludovic zegt: ja en nee.

Ludovic zegt: nog één keer. Iets waar écht over wordt gesproken

Max zegt: *sigh*

De rest van de klas lachte er eens om, 's middags aan tafel. En onderschatten me daarmee schromelijk.

'Heb je het al gelezen, Ludovic, over die campagne tegen geluid?' Jelle grinnikte.

'Tuurlijk. En gelijk hebben ze. Het is toch het beste bewijs dat ik niet de enige ben die vindt dat er te veel lawaai is?'

'Kom op, Ludovic, geef nu maar gewoon toe dat jij dat allemaal doet, die mails en die kaartjes', lachte Dieter, en iedereen lachte mee.

Hahaha.

Ook Alina.

Hahaha.

'Je bent grappig, Dieter.'

'Ik weet het, ik weet het… Nee, echt: jij hebt er toch niets mee te maken?'

'Tuurlijk niet. Ik ben niet gek.'

'Wel gek genoeg om met een decibelmeter naar de Cicero te komen – en er dan te worden uitgegooid', bracht Klaas fijntjes in herinnering.

'Ach... Dat had ik nooit mogen doen. Maar ik had gelijk, weet je: 99.8 decibel...'

'Niemand zegt toch dat je daar moet komen, Ludovic? Iedereen beslist toch zelf of hij daar binnengaat, en hoe lang?'

'Dat is waar. Omdat niemand het gevaar beseft.'

'Ergens heeft het wél effect gehad, Ludovic. Ik weet niet hoe of waarom, maar de muziek stond vorige week veel zachter in de Cicero.'

'Véél te zacht. Zo is het niet leuk meer', zuchtte Korneel met z'n nasale zeurstemmetje.

Het gesprek viel stil. Ik was opgelucht toen Dieter over de Stadsfeesten begon, een weekend van optredens en fuiven - het laatste grote openluchtevenement van het jaar.

'Ik ga alleen naar het openingsconcert op vrijdagavond', zei Jelle.

'Ja, zeker het openingsconcert', klonk het eenstemmig.

'Het concert van het jaar', zei Korneel, en hij kraakte zijn vingers. 'Als je dit jaar één concert meepikt, dan dat wel.'

'Wie speelt er dan?' vroeg ik.

'Weet je dat niet?' Korneel sloeg zijn ogen ten hemel, een misprijzend lachje speelde om zijn lippen: 'De beste zanger van dit moment, Ludovic. Jouw buurman! Stoned!'

De hele namiddag kon ik maar aan één ding denken: het optreden van Stoned, vrijdagavond op de Botermarkt. Dat was mijn kans. Als ik nog één keer van mij zou doen spreken, dan moest het daar zijn, op de Stadsfeesten. Daarna stopte ik ermee en liet ik het aan ieders verbeelding over wie of wat Ssst! was geweest. Laat ze maar denken dat we met veel waren geweest. Laat ze maar denken dat we ooit opnieuw zouden beginnen met vervelende briefjes en nepmails. Dan had ik toch íéts bereikt.

Ik maakte een e-mailadres aan: soldaatvandestilte@gmail.com. Ik mailde naar de redactie van de grootste krant, *24 uur*, en schreef dat ze mij mochten interviewen, exclusief. En dat ik in dat interview – nog exclusiever! - 'mijn grootste actie ooit' zou aankondigen, een actie die door iedereen zou worden opgemerkt. In de bijlage stuurde ik enkele voorbeelden van kaartjes die ik had gemaakt – ze moesten meteen doorhebben dat ik de échte was.

Twee uur bleef het stil, maar toen kwam er een reply met status *'urgent'*. Daardoor alleen al wist ik dat de vis had gebeten.

'Kunnen we jou meteen spreken? Jij bepaalt plaats en uur. We garanderen volledige anonimiteit. Mag er een fotograaf meekomen?'

'Tuurlijk mag er geen fotograaf meekomen, het zou toch anoniem zijn?' mailde ik terug.

'Hij zal je niet-herkenbaar fotograferen. Op de rug of zo.'

'Nee: géén fotograaf of het gaat niet door', schreef ik fors. Waarom moest er een fotograaf meekomen als hij toch geen herkenbare foto's mocht maken?

'Goed: we sturen alleen een journalist. Onze beste.'

De afspraak was in het leescafé van de bibliotheek. De journalist zou *24 uur* op tafel hebben liggen en als codewoord moest ik vragen of hij een vuurtje voor mij had. Dat was gezien het rookverbod in de bibliotheek een idiote vraag, maar juist daarom ook een waterdichte code.

Brian Eno op mijn iPod. *Lantern Marsh. Lizard Point.* Het maakte de sfeer in de bibliotheek akelig onheilspellend, alsof ik 's nachts door een donker bos liep. Bovendien: ik had genoeg afleveringen van *CSI: Miami* gezien om te weten dat ik moest opletten. Het kon een valstrik zijn. De bibliotheek wemelde misschien van agenten in burger, die verdekt stonden opgesteld en nu en dan iets fluisterden in een microfoontje dat in hun kraag zat. Zodra ik mij kenbaar maakte aan de journalist werd ik besprongen door agenten die me op de grond wierpen en me toebeten dat ik het recht had om te zwijgen en dat alles wat ik zei tegen mij kon worden gebruikt.

In de leeszaal zaten enkele senioren, gebogen over hun dagblad. Iemand zat stiekem een bonnetje voor een gratis flesje bier uit te knippen. Ik liep door tot in het leescafé, waar loungemuziek speelde. Er hingen airco's die duidelijk niet waren gekozen op basis van hun geruisloosheid. Ik viste de decibelmeter enkele centimeters uit mijn jaszak en duwde op de on/off-knop. 62.5. Dat was al behoorlijk voor een leescafé in een bibliotheek. Ik zag een streng kijkend heertje dat een tijdschrift over beleggen doorbladerde.

Aandeel Nokia in vrije val, schreeuwde een kop. Een studente bewerkte een cursus met fluorescerende stift. Achterin zat een man een krant te lezen.

Hartslag en bloeddruk gingen omhoog.

Ik stapte er niet meteen op af, ik wilde eerst zien of de kust veilig was, maar er was werkelijk niemand die ook maar enigszins kon doorgaan voor een agent in burger.

Ik rommelde door het hoopje tijdschriften bij de ingang en deed alsof ik een plaatsje zocht.

De krant die de man aan het lezen was, was *24 uur*.

Hartslag nog hoger.

Ik naderde.

Toen ging de man die de krant las rechtop zitten, een beetje ongemakkelijk in de witte designstoeltjes.

Hartslag ten top.

Het was buurman Stef.

Diep in mij werd een grote pauzeknop ingedrukt, maar het was te laat.

'Ha, kijk eens aan, jongeheer Ludovic', zei hij, als altijd veel te luid. Het mannetje met het beleggingsboekje keek verstoord op.

'Euh... buurman... Hallo.'

'Lang geleden dat je pa is komen klagen over het zogezegde lawaai dat ik maak.'

Ik haalde mijn schouders op.

'Tja, je hoeft je ook niet van de domme te houden. Jij was het toch met die gevoelige oren?'

'Dat valt wel mee', loog ik.

'Kijk eens, Ludovic, misschien kunnen we een andere keer een uitgebreider babbeltje doen. En gráág hoor – ik ben geen haatdragend mens. Maar ik zit hier nu eigenlijk op iemand te wachten voor een belangrijke afspraak, begrijp je?'

'Dat begrijp ik, Stef, ik laat je hoor.'

'Da's goed dan, Ludovic.'

Stef boog zich weer over zijn krant.

'Maar mag ik nog snel iets vragen?'

Verstoord keek de sterjournalist op. 'Euh. Ja? Wat dan?'

'Heb jij soms een vuurtje voor mij?'

In één tel zakte een hele emmer bloed weg uit het gezicht van Stef. Hij probeerde iets te zeggen, zag ik, zijn onderlip trilde even, maar veel klanken kwamen er nog niet uit. Eén woord maar, heel langzaam uitgesproken: 'God-ver-dom-me...'

Het interview verscheen de dag nadien. Het besloeg een groot deel van bladzijde drie, het hoofdpodium van een krant. De titel van het artikel, die was recht in de roos. Hij stond er naar schatting 100 punt groot, in rode Impactletters op een zwarte achtergrond. Dreigender kon niet.

'IK GA STUNTEN OP DE STADSFEESTEN'

Toegegeven: ik schrok er zelf een beetje van.

Daarboven, iets kleiner:

EXCLUSIEF:
SOLDAAT VAN DE STILTE
PRAAT VOOR HET EERST

Stef had zijn job behoorlijk gedaan. Hij had mijn woorden correct weergegeven en het interview las als een trein. Alinea's lang mocht ik fulmineren tegen de dictatuur van de decibels, tegen een wereld waarin alles almaar luider moet zijn. Ik had Stef wijsgemaakt dat ik geen week maar drie maanden last had gehad van een fluittoon in mijn oor. De gehoorschade die ik had opgelopen werd omschreven als 'zeer ernstig'. Alsof ik zelf vijfenveertig jaar of zo was, waarschuwde ik 'de jeugd' voor de gevaren van hun mp3-spelers en de muzikale foltering op festivals en concerten. Ik vertelde dat ik 'al maandenlang honderden metingen' had verricht met een decibelmeter en een 'compleet dossier' had aangelegd. Afsluiten deed ik met het dreigement om op de Stadsfeesten, bij buurtbewoners al jaren een bron van ergernis vanwege de geluids-overlast, te 'stunten'. Bij het interview stond een foto van een onbekende man met een decibelmeter in de hand. Het onderschrift luidde: 'Een man meet het geluid met een decibelmeter, zoals ook de Soldaat van de Stilte doet. Voor alle duidelijkheid: de man op de foto is níét de Soldaat van de Stilte.'

Onderaan de bladzijde stond een interview met een universiteitsprofessor die beweerde dat twintig procent van de tieners al gehoorschade had opgelopen door mp3-spelers, concerten en festivals.

Ik bleef maar naar die titel kijken:

'IK GA STUNTEN OP DE STADSFEESTEN'

Het artikel op bladzijde drie van *24 uur* zorgde voor danige ophef. In het tv-journaal werd naar het interview verwezen en vermeld dat er was gedreigd om de Stadsfeesten te verstoren, het grootste evenement van het najaar dat in één weekend tijd tienduizenden mensen naar de stad lokte. Ook de burgemeester kwam aan het woord. Hij zei dat hij geen extra aandacht wilde geven aan 'goedkope bedreigingen' en dat de politie hard zou optreden tegen verstoring van de openbare orde en elke 'verboden manifestatie' in de kiem zou smoren. In een actualiteitenprogramma dat na het tv-journaal werd uitgezonden, kwam de universiteitsprofessor uit de krant uitvoerig aan het woord. Hij demonstreerde dat een iPod het geluidsniveau van een overvliegende straaljager kan evenaren.

Ik kon niet meer terug. Ik móést iets doen: stunten op de Stadsfeesten. Maar hoe? Kaartjes verspreiden was niet nieuw meer en te flauw. Een bomalarm? Te riskant. Een bommelding per mail, met het programma van Max? Die zou wellicht geen effect hebben, en dan zouden ze me zéker traceren.

Max zegt: saboteren :-)

Het stond er keihard, dat woord. Saboteren. Een vettig woord vol dreiging, dat rook naar oorlog en spionage, naar ontploffingen, naar aftellende timers. Seconden later stuurde Max een link naar een website: een forum waarop de helft van de gebruikers een afbeelding van een doodskop als profielfoto had. Wat er te lezen viel, was explosief.

Stoned zou optreden op de Botermarkt, berucht om zijn ruige muziekcafés die vaak aanleiding gaven tot klachten wegens geluidsoverlast. Dat was nu al jaren zo, maar evenveel jaren ontsnapten de cafés via juridische achterpoortjes en spitsvondige advocaten aan vervolging. Op de Botermarkt waren ook enkele overdekte terrassen die daar niet hoorden te staan, maar nu ze er nu toch stonden, had de stad ze geregulariseerd. Om zes uur verzamelde de klas in een zijstraatje. Werkelijk iedereen was er. Jelle en Kobe waren er, ik zag Andries, Anke en Anneleen, Thijs, Dieter, Alina en – jawel – Korneel. Kobe loodste ons naar een plekje opzij van het podium. Het zicht was niet ideaal, maar we stonden wel erg dichtbij. Vooraan zag ik twee walls of sound, twee torens van drie gigantische, opeengestapelde geluidsboxen, aan elke kant van het podium eentje. Naast ons stonden ijzeren hekken, met zwart plastic bekleed. Het hele plein stond al bijna volgepakt en vanuit alle zijstraten bleven de mensen toestromen. Er hing spanning in de lucht, een intensiteit die je altijd voelt op plaatsen waar veel mensen samen zijn in afwachting van een belangrijke gebeurtenis.

Alina zei 'Hoi' en 'Wat doe jij hier? Dit zal straks toch veel te luid zijn voor jou?' Met een glimlach, een beetje een bittere.

'Het zal zeker te luid zijn. Maar daarom ben ik nu net hier.'

Het had mysterieus moeten klinken, maar Alina schudde alleen haar hoofd. 'Ludovic,' zei ze, 'je...'

En toen kon niemand elkaar nog verstaan, want de achtergrondmuziek die al die tijd had gespeeld, werd met een ruk harder gezet. Ik grabbelde in mijn jaszak naar de oordoppen die ik sinds mijn noodlottige bezoek aan de Cicero altijd bij had. Onder luid applaus verscheen de begeleidingsgroep van Stoned op het podium. Ik herkende de drummer en een van de gitaristen – zij kwamen vaak bij buurman Stef langs. Eerst improviseerde de groep enkele minuten met gitaarriffs en drumsolo's, om daarna over te gaan naar een strak tempo dat leek op te bouwen naar een climax. Voor het podium begonnen mensen te springen en ritmisch met hun handen boven hun hoofd te klappen.

'Wow!' brulde iemand achter mij. '*C'm on, Stoned!*'

'*Go for it!* We houden van je, Stoned!' schreeuwde een ander schor – ik hoorde hem door mijn doppen heen.

In één tel gingen alle lichten op het plein uit, alleen het podium bleef schaars verlicht. Een siddering van opwinding en verwachting ging door de menigte, intussen aangezwollen tot misschien wel vijfduizend toeschouwers. Een volgspot zwierf over onze hoofden.

'*We want Stoned! We want Stoned!*' werd er gescandeerd.

De muziek was nu een eentonige beat, als een veel te snelle hartslag, vol verwachting naar Stoned, het godenkind dat spoedig op het podium zou verschijnen.

Toen: een knal, als een pistoolschot. Rook verspreidde zich over het podium. Het licht werd vuurrood. Daar was Stoned – hij kwam in een soort hink-stapsprong van opzij op het podium, greep de klaarstaande microfoon, slingerde met het statief vervaarlijk in het rond en schreeuwde uit alle macht:

AAAARGGHHHH

Door mijn oordoppen heen hoorde ik de kreet:

ŽIJN JULLIE ER KLAAAR VOOOORRRRRR?

Een bloeddorstig gehuil steeg op uit de massa. De muziek versnelde en met een nieuw kanonschot

BAM!

begon een nummer dat de menigte met enthousiast gejuich verwelkomde. Stoned riep dat hij handen wilde zien, meer handen, nog veel meer handen. Het bandje speelde de intro tot Stoneds grootste hit. Het publiek werd wild, er werd gedrumd en geduwd, hier en daar sprongen groepjes mensen tegen elkaar op, een meisje in een minuscuul topje ging op iemands schouders zitten. Ze hield een bordje omhoog met een boodschap die ik niet kon zien. Stoned voerde intussen zijn gebruikelijke act op, waarbij hij in een zorgvuldig ingestudeerde trance raakte. Hij liet zijn mond openhangen en schudde met zijn hoofd, waardoor zijn bril op en neer wipte. Hierna begon ook de rest van zijn lichaam te trillen alsof hij elektrische schokken kreeg. 'Hij gaat echt helemaal los. Wat een kunstenaar!' schreeuwde iemand achter mij, hoorbaar in extase. Net toen iedereen dacht dat Stoned helemaal van de wereld was, sprong hij opzij, greep de microfoon en zong de eerste lijnen van het lied. Tussen de strofen liep hij gejaagd van de ene kant van het podium naar de andere, ving een T-shirt op dat een meisje hem toewierp, spurtte ermee naar de andere kant van het podium en droogde er zijn bezwete gezicht mee af. Voor mij stond Alina, ze klapte in haar handen en wiegde met haar heupen. Korneel, naast haar, maakte sprongetjes ter plaatse, zo opgewonden was hij.

Het tweede nummer begon met een lange solo van één van de gitaristen. Stoned ging naast hem staan en speelde luchtgitaar, waarbij hij weer hevig begon te schokken. Het aantal decibels leek nog te stijgen.

Korneel sloeg een arm om Alina's schouders, zij kwam steeds dichter tegen hem aan staan.

Het was tijd voor actie. Meer dan ooit.

Ik liet mij tegen één van de hekken opzij van het podium drummen en deed enkele stappen achteruit. Niemand leek mij op te merken, iedereen was gebiologeerd door het schouwspel op het podium. Stoned zat nu op zijn knieën, terwijl achter hem een van de gitaristen heen en weer liep met zijn instrument boven zijn hoofd. Ik liep verder achteruit tot waar het zwarte plastic dat aan de hekken hing wat losgekomen was. Aan de andere kant van het hek zag ik een Rode Kruistent, een mobilhome en mannen met badges die erg gewichtig deden. Op de grond, vlakbij het hek, lagen vuistdikke kabels die richting podium liepen. Ik had mij voorgenomen geen enkel risico te lopen – beter géén actie dan betrapt te worden – maar deze kans mocht ik niet laten liggen. Het zou nog gemakkelijker worden dan ik had gedacht.

Mijn keel was droog, mijn hoofd bonkte. Ik stond op het punt de belangrijkste Ssst!-actie ooit uit te voeren, met een impact die amper te voorspellen was, maar zonder twijfel niet te negeren.

Ja, ik kon nog terug, maar nee, dat wilde ik niet.

Ik tastte in mijn broekzak en deed handschoenen aan – uit pa's kleerkast gepikt, ze zagen er duur uit. Toen nam ik uit mijn jaszak een glazen potje en draaide dat voorzichtig open. In het potje zat dertig centiliter van een geconcentreerd chemisch mengsel op basis van salpeterzuur. Ik schermde het potje zoveel mogelijk af van de mensen om mij heen; als ik nu een duw kreeg en er kwam wat van op mijn huid terecht, zou ik een afschuwelijke brandwonde oplopen. Ik zakte door mijn knieën, stak mijn arm onder het hek en goot het lichtgele, kleverige goedje over één van de kabels. Het lege potje liet ik staan: mijn vingerafdrukken stonden er niet op en ik mocht niet het risico lopen ermee te worden betrapt. Het goedje stroomde over de kabel, een paar bubbeltjes verschenen. Het was een kwestie van enkele minuten eer het zuur zich door het omhulsel heen zou bijten.

Het duurde niet eens zo lang, en dat was een grote misrekening. Blijkbaar was het omhulsel van de kabel al aangetast en daardoor ging het allemaal veel sneller dan gedacht. Ik kon nog net mijn handschoenen uittrekken, maar had de tijd niet meer om weg te komen van het hek en ongemerkt mijn plaats weer in te nemen bij mijn klasgenoten.

KRRSSSSSS
BAM!

Een droge knal – de spots achter op het podium vielen uit. Stoned, die dubbelgevouwen over zijn microfoonstatief hing, had eerst niets in de gaten. Een langgerekt

OOEHHH

ging door het publiek.

BAM!

Een nieuwe knal, maar nu vooraan op het podium. De muziek stopte. Stoned deinsde achteruit.

Een steekvlam, onderaan één van de geluidstorens. Een wolk zwarte rook dreef over het publiek. Twee mannen in een zwart T-shirt kwamen wild gesticulerend het podium opgelopen en duwden Stoned de coulissen in. Zijn begeleidingsgroep volgde hem – de drummer liet onderweg zijn stokjes vallen.

Een korte maar verschrikkelijke

PiEP

ging bij iedereen door merg en been, zelfs bij mij, met oordoppen in.

De massa kwam in beweging, maar iedereen wilde tegelijk een andere kant uit. Men zocht een uitweg, een uitgang, maar waar was die? Er werd gegild, geschreeuwd, geduwd. Het ene moment stond iedereen stil, het andere moment was de massa de speelbal van een onstopbare kracht, als een rukwind die door de kruin van een boom joeg. Met mijn oordoppen in leek ik het allemaal als toeschouwer te beleven. Als een zwart-witfilm zonder geluid, in slow motion.

OPZIJ! GEEF HAAR LUCHT!

was het eerste wat ik hoorde toen ik de oordoppen uittrok. Toen pas hoorde ik ook het geschreeuw en het gekerm voor mij. Wat verderop werd één van de hekken opzijgeschoven – Rode Kruismedewerkers in een wit-geel fluorescerend pak kwamen aangelopen. Er ontstond een gigantisch gedrang toen iedereen door het ontstane gat wilde.

AAAARGGH!

Kreten van angst.

HIER! SNEL!

Kreten van pijn.

Mijn maag trok samen van angst. Paniek, ja. Het besef dat ik iets had veroorzaakt en dat niet meer ongedaan kon maken. Mijn strijd tegen lawaai, mijn acties als Soldaat van de Stilte, het was een spel geweest, maar nu was het een spel op leven en dood aan het worden, zonder dat ik er nog iets kon aan doen. Ik had beter moeten weten – ook toen ik die nepmails stuurde, ook toen ik briefjes ging verspreiden en zeker toen ik ging dreigen om tijdens de Stadsfeesten toe te slaan. Nu was het te laat.

De hulpverleners riepen in hun walkietalkie. Door het gedrang werd een ander hekken omvergeduwd - enkele mensen vielen bovenop elkaar en schreeuwden het uit.

Dat schreeuwen, die rauwe kreten. Maar ook: de onvoorspelbaarheid van alles wat er gebeurde. Het besef dat het vreselijk uit de hand aan het lopen was en dat wat ik nu zag misschien nog maar het begin was. Dat was het ergst: de vraag waar het zou eindigen, alsof je na een botsing in een rondtollende auto zit en niet weet waar en wanneer hij tot stilstand zal komen.

Ik liet mij mee wegdringen naar achteren, ik incasseerde een stomp tegen mijn benen en in mijn rug – een pijnscheut – de lucht werd uit mijn longen geblazen. Naast mij viel een meisje

languit achterover – haar val werd nog net gebroken door een rugzak die op de grond lag en niemand meer toebehoorde.

Iedereen op elkaar gepakt – ademnood.

Dan toch: een opening. Voetje voor voetje schuifelde ik verder
achteruit. Even raakte ik nog bekneld, maar toen was er lucht,
meer en meer lucht. En ruimte. En twee reddende armen die me
vastgrepen. Ik wist niet van wie ze waren, maar ze sleurden me uit
de massa. Steeds verder. Ze lieten mij niet meer los. Ik liet het
gebeuren. Ik keek om, ik wilde weten aan wie die armen toebe-
hoorden. Eerst zag ik niet eens een gezicht. Ik zag een soort open-
geklapte portefeuille, een grote kaart met een foto erop. 'Politie',
zag ik. 'Politie', zei ook de man die me vasthield.

In de combi, op weg naar het politiebureau, reden ambulances
ons met loeiende sirenes voorbij.

NAKLANK

'Vijf mensen zijn gewond geraakt. Eén van hen ernstig - een meisje dat ten val kwam en waar tientallen mensen zomaar overheen zijn gelopen. Ze wordt op dit moment geopereerd.'

Agent Edward zei het zakelijk. Net daardoor trof elk woord dat hij zei mc onaangenaam hard.

Stilte, ook al onaangenaam.

'Tja, je hoeft niet zo gechoqueerd te kijken, Ludovic, dit is wat er gebeurt als paniek zich meester maakt van een massa mensen. En jij' – een wijsvinger in mijn richting – 'hebt dit veroorzaakt. Jij alleen.'

'Dat was nooit mijn bedoeling.'

'Dat neem ik aan, ja. Maar je bent oud genoeg om de gevolgen van jouw daden in te schatten, niet?'

Tuurlijk was ik dat.

'En buiten de menselijke schade... is er ook nog de materiële schade. Reken maar dat de organisatoren van het concert een schadevergoeding zullen eisen. En hier houdt het niet op. Ook een aantal tafels en stoelen van een caféterras zijn vernield, een bushokje is beschadigd. Dat allemaal zul jij uiteindelijk moeten betalen. Of beter: je ouders...'

Ik raakte verstrikt in een getal met veel nulletjes, in al te veel nulletjes.

'En nog is dat niet alles, Ludovic.'

'Nee?' (Hese stem.)

'De exploitant van de Cicero, die hééft al een klacht ingediend. Hij zegt dat hij tientallen klanten is kwijtgeraakt omdat hij wekenlang zijn muziek veel zachter heeft gezet. En dat terwijl hij naar eigen zeggen zwaar had geïnvesteerd in een bekende dj. En de bedrijfsleidster van kledingwinkel Hot Shots heeft een klacht ingediend tegen onbekenden wegens bedreiging – ze zegt dat ze minder klanten heeft sinds haar zaak in het nieuws kwam als mogelijk doelwit van die fameuze Soldaat van de Stilte.'

Edward zuchtte, nam zijn bril af en wreef op het rode plekje waar bril en neus elkaar raakten. 'Het is allemaal goedbedoeld begonnen, jouw actie, en ik denk dat veel mensen sympathie voor je hadden. Maar je bent te ver gegaan, Ludovic. Wat er vanavond is gebeurd, daarmee heb je het leven van mensen in gevaar gebracht. Daar bestaat geen excuus voor.'

Ik zweeg.

'Dat besef je toch?'

'Ja, ik ben te ver gegaan', zei ik schor, en ik meende het.

De agent keek me hoofdschuddend aan.

'Stef heeft me verraden. Zeker weten.'

'Jongen... Is dát nu waar je aan denkt? Wie je zogezegd verraden heeft? Denk aan het meisje in het ziekenhuis. Denk aan de schade die je hebt aangericht. Denk aan de angst die je hebt veroorzaakt... Niemand heeft je verraden: wij hebben je gepakt. Het wemelde van de agenten in burger op de Stadsfeesten. Wat wil je, als je vooraf in de krant aankondigt waar en wanneer je zal toeslaan? Ik ken geen enkele soldaat die vooraf verklapt waar zijn actieterrein is', zei Edward sarcastisch. 'Ach, Ludovic, we waren je sowieso op het spoor gekomen. Als we alles bij elkaar legden: je eerste echte mail over de Cicero naar de Dienst Milieutoezicht, met naam en toenaam. Dan de nepmails naar de Cicero. Onze computerafdeling had je zonder twijfel opgespoord - vandaag niet, dan wel morgen. En maak je geen illusies: je signalement was intussen verspreid, want veel meer mensen dan je denkt hebben je die kaartjes in brievenbussen zien steken. En o ja, je was héél goed te zien op de beelden van enkele beveiligingscamera's.'

Ik besefte dat hij gelijk had: ik had meer voorzorgen moeten nemen. De nepmails elders versturen bijvoorbeeld. Ach, het deed er niet meer toe.

'Overmoed', vatte Edward nog eens samen.

Max had gelijk gehad: voor één keer was het toch net als in de film. Eén stap te ver en dan word je gepakt.

'En nu?'

'…'

'Was het dit nu allemaal waard?'

Daarover hoefde ik niet lang na te denken en dus zei ik stoer: 'Niet wat er vanavond is gebeurd. Maar alles daarbuiten: ja, het was het waard.'

Onder tafel kwam een printer zuchtend tot leven. Hij begon te zoemen, enkele keren onderbroken door een metalig klikje waarmee hij een nieuwe pagina inslikte. Edward dook onder tafel en kwam weer boven met een paar papieren in zijn hand. Ik schatte dat het elf uur 's avonds was, misschien zelfs later. Ik had het gevoel dat ik nog nooit zoveel over mezelf had verteld in één avond tijd.

'Lees je verklaring eens rustig door en zet er dan je handtekening onder. Je ouders zijn intussen hierheen gekomen – we gaan sowieso ook met hen eens praten, apart. En wij zullen daarna met je meegaan naar huis. Je computer zal in beslag worden genomen, en wellicht nog wat andere dingen.'

Wij reden voorop: pa aan het stuur, ma naast hem, ik achterin. Er werd geen woord gezegd. We werden gevolgd door een muisgrijze Opel Astra met agent Edward en een collega, een man met een vermoeid gezicht die me geen blik had gegund. De radio speelde zacht.

Nog eens de hoofdpunten uit het avondnieuws… Tijdens een optreden op de Stadsfeesten in…

De kracht waarmee pa de radio uitduwde, verraadde zijn ingehouden woede.

We gingen via de achterdeur ons huis binnen, gevolgd door de twee agenten. Die verdwenen meteen naar mijn kamer; ik bleef met ma en pa in de keuken. Daar stonden we dan, zwijgend, terwijl we boven onze hoofden voetstappen hoorden.

Ma was de eerste die iets zei: 'Wat een avond...' Wat een dooddoener. Dat had ze evengoed kunnen zeggen na een wild feest.

'Zeg dat wel', zei pa. 'Ludovic...'

Hij zweeg even.

'Dit was niet de goede manier, dat begrijp je toch wel?'

'Uhuh.'

'Wat beziélde je nu toch? Paniek veroorzaken op een plein vol mensen… Er hadden doden kunnen vallen!'

Ik zei niets. Wat had ik kunnen zeggen?

'We zullen dit nu even laten bezinken, stel ik voor...'

(Het woord bezinken klonk erg aangenaam.)

'...en hier morgen verder over praten...'

(Praten vond ik al iets minder aangenaam klinken.)

'Wil je verhuizen, jongen, is dat het? Zullen we op het platteland gaan wonen?'

'Ellen, we hoeven deze discussie nu niet te voeren', zei pa – het feit dat hij ma Ellen noemde, was het bewijs dat dit Een Belangrijk Gesprek In Het Gezin was.

Pa schonk zichzelf een royaal glas Saint-Estèphe uit. Hij bleef me aankijken over de rand van het glas. Ma huilde zachtjes.

De rechercheurs bleven een halfuur boven. Ze kwamen terug met mijn laptop onder de arm, met de uitgeprinte handleiding voor de sabotage, enkele glazen potjes, de kleine plastic zakjes van de apotheker, mijn twee externe harde schijven, de decibelmeter en de krantenknipsels over de Soldaat van de Stilte.

Het was een stilte zoals ik ze nog nooit had meegemaakt. Een foute stilte. Mijn ouders zwegen, ook al hadden ze zoveel te zeggen en te vragen. Ook ik kon beter zwijgen. Woorden zouden toch niet volstaan. Op mijn kamer weerklonk geen muziek, mijn laptop met mijn schatkamer van 87 gigabyte muziek was weg. Ik kon niet meer vluchten in mijn wereld van klank, die mij troostte en verstrooide. Ik ging aan mijn bureau zitten, met mijn hoofd vol en met mijn gedachten op de loop.

Uit een ooghoek zag ik mijn gsm afgaan. Dieter. Het schermpje lichtte op, ik hoorde niets – ik had de ringtone nog altijd niet vervangen. Ik nam niet op.

De twee A4'tjes met de partituur van *Für Alina* hadden ze laten hangen. Ik staarde naar de 132 noten, verdeeld over een linker- en rechterhand van een pianist. Zo weinig noten en zoveel muziek. Ik staarde naar de noten en verbeeldde me de klank. Ik luisterde in mezelf naar die eerste lage si en naar de spaarzame noten die erop volgden, twee aan twee, dicht bij elkaar, als belletjes.

'Soldaat van de Stilte' gepakt bij sabotage

Stroompanne veroorzaakt paniek tijdens optreden op Stadsfeesten

5 gewonden naar ziekenhuis

Burgemeester: 'Ramp vermeden'

Stef had ook dit artikel geschreven. Eerst weidde hij uitvoerig uit over het optreden van Stoned, ook al had die uiteindelijk maar anderhalf nummer gezongen. Daarna vertelde hij hoe er paniek was ontstaan door een stroompanne en enkele kleinere ontploffingen, veroorzaakt door mijn sabotage. Over De Soldaat van de Stilte werd geschreven dat hij minderjarig was, dat hij een verklaring had afgelegd en dat hij 'een gepeperde rekening' kon verwachten.

De politie had bevestigd dat het om een jongen van amper zestien jaar oud ging. Zoals dat wettelijk moest, werd mijn identiteit geheimgehouden.

Nu ik het zwart op wit in de krant las, paginagroot en in een dramatische lay-out, voelde ik nog weinig trots. Schaamte, dat wel. Het besef wat er was gebeurd, nog rauwer dan de avond voordien in het politiebureau.

Onderaan het artikel stond een klein kadertje.

Onze lezers reageren massaal > p.14

De hele bladzijde 14 stond vol lezersbrieven, onder de overkoepelende titel

Soldaat van de Stilte verdeelt onze lezers

De Soldaat van de Stilte heeft het recht niet het leven van zoveel mensen in gevaar te brengen.
(M.K. uit E.)

Wat een zuurpruim! Toen ik 16 was, genoot ik van het leven en van mijn jeugd, in plaats van met een decibelmeter rond te lopen en mensen terecht te wijzen. Laat iedereen voor zichzelf uitmaken wat te luid is en wat niet.
(E.G. uit G.)

Maar er waren ook andere reacties.

Ik keur niet niet goed wat die jongen heeft gedaan, maar hij brengt hiermee wel een belangrijk thema onder de aandacht. Iedereen zou eens moeten nadenken over lawaai, hoe vanzelfsprekend lawaai is geworden in onze maatschappij.
(P. G. uit Antwerpen)

Voor het eerst sinds lange tijd ging ik weer eens naar de bioscoop, met mijn kleindochter. Wat een lawaai! Al tijdens de reclame-filmpjes vooraf denderde het geluid uit wel tien boxen voor, naast en achter mij. Tijdens luide scènes in de film (achtervolgingen, ont-ploffingen, enz.) heb ik letterlijk mijn oren moeten dichthouden.
(A.D.L. uit Knokke)

Ooit kon men lezen in de trein. Nu meestal niet: er worden films bekeken op laptops, er gaan gsm's af en ongevraagd hoor je alles over de beller zijn familie, ziektes, vakantieplannen en ruzies op het werk. Iemand speelt op een Nintendo DS – je mag je gelukkig prijzen als het geluid af staat.
(Bert uit Kruishoutem)

Ik ben vanavond met mijn dochter van 8 naar een proefles ballet geweest. De muziek stond zo hard dat ik naar buiten ben gegaan. Intussen sprongen meisjes van 8 en 9 in het rond. Zijn kinderoren daar wel tegen bestand? En zijn de oren van een volwassene er eigenlijk tegen bestand?
(J.P. uit Gent)

Bands die op festivals te veel decibels produceren, evenals de orga-
nisatoren, horen voor de strafrechter te komen voor het bewust toe-
brengen van 'slagen en verwondingen' aan tienduizenden mensen.
(Naam en adres bekend bij de redactie)

Ik ga ook een decibelmeter kopen.
(A.v.d.W. uit Utrecht)

Ik ben geïntrigeerd door moordenaars – dat heb ik je al gezegd. Door de klik in hun hoofd op het moment dat ze tot de actie overgaan. Seriemoordenaars, daar hebben we het ook al over gehad: ze plegen altijd die ene moord te veel, en dan worden ze gepakt. En weet je wat een typisch fenomeen is bij seriemoordenaars? Copycats. Zo worden degenen genoemd die zich door seriemoordenaars laten inspireren en hen imiteren. Ook ik had mijn copycats. Drie dagen later schreef *24 uur* er alles over:

Soldaat van de Stilte krijgt navolging

De zogenaamde Soldaat van de Stilte, de 16-jarige die vorige week werd opgepakt na de sabotage van een optreden tijdens de Stadsfeesten, krijgt navolging. In verscheidene andere steden zijn strooibriefjes gevonden, worden dreigtelefoons gepleegd en werden valse mails gestuurd. Telkens uit protest tegen geluidsoverlast.

Een burgemeester trad op tegen een jeugdhuis waar de muziek zelden onder de 90 decibel dook. Een motorenrace nabij een natuurgebied werd verhinderd. Een opgefokt brommertje waarmee een kerel een buurt terroriseerde, werd teruggevonden met lekke banden. De website van een café dat overlast veroorzaakte, bezweek door een cyberaanval. Een bewoner van een flatgebouw die buren tot 's nachts stoorde met luide muziek werd 's morgens vroeg op alle mogelijke manieren wakker gebeld. Op verzoek van enkele ouders was de muziek in de cafetaria van een zwembad zachter gezet. Iemand had een stinkbommetje gegooid in een bioscoopzaal. Er was een website opgericht waar ideeën werden verzameld om geweldloos te protesteren. Er kwamen Facebookgroepen en forums, lezingen en debatavonden. Er verschenen kranten- en tijdschriftartikelen, op tv werd erover gediscussieerd en gedebatteerd door geleerde heren die almaar spraken over 'een breed maatschappelijk debat'. Een actualiteitenprogramma wijdde een heel uur aan het thema lawaai. De jonge presentator van het programma, die ook als dj optrad, liet tijdens de uitzending zijn gehoor testen en trok bleekjes weg toen bleek dat hij de oren van een 50-jarige had.

Buurman Stef, die was opvallend rustig. *I gotta feeling* denderde niet langer door zijn en ons huis om 19u10, en ook niet later op de avond. Nu en dan hoorden we nog muziek, maar veel stiller. Zijn muzikale vrienden kwamen niet meer langs. Iedere vrijdagavond reed Stef na het werk meteen weer weg en kwam pas laat terug, misschien hadden ze een échte repetitieruimte gevonden.

Op een zaterdagmiddag – hij had net zijn auto gewassen – stond Stef plots voor onze deur, in het gezelschap van een blozende oudere man die mij niet onbekend voorkwam en die meteen zijn hand uitstak: 'Posman is de naam. Louis Posman.'

Tuurlijk: Posman, bijgenaamd 'De Pos', organisator van concerten en festivals.

Stef glimlachte schaapachtig. 'Een goeiemiddag, Ludovic. Dit is meneer Posman – zoals hij al zei.'

'Ja?'

Pa kwam erbij staan. Stef leek op zijn ongemak. 'Heu... beste buren... mijnheer Posman is zoals jullie weten artistiek directeur van de Concertvereniging. We zouden iets willen bespreken met Ludovic – en met zijn ouders uiteraard.'

Pa noodde de buurman en de onbekende gast binnen te komen. Wat kwam die Posman hier doen? Ik hoopte dat hij geen schadevergoeding kwam eisen voor het stopgezette concert van Stoned.

De journalist en de concertman namen plaats op de bank. 'Wel...', begon Stef, 'we wilden eigenlijk praten over jouw... euh... acties van de laatste tijd, Ludovic, acties die ik natuurlijk vanop de eerste rij heb meegemaakt.'

Stef glimlachte me toe – ik beantwoordde zijn glimlach niet.

'Het is duidelijk dat jou, of beter gezegd je ouders nu een serieuze schadeclaim boven het hoofd hangt…'

(Waar wilde Stef eigenlijk heen?)

'…en daarom… Wel, jullie weten dat ik voor mijn job maar ook daarbuiten erg met muziek bezig ben, niet?'

We knikten met tegenzin.

'Toevallig had ik onlangs een ontmoeting met mijnheer Posman van de Concertvereniging. Euh… Louis, misschien moet jij nu maar verder het woord voeren.'

Posman kuchte. 'Wel, de Raad van Bestuur van de Concertvereniging speelt al langer met het plan om een reeks 'stille concerten' te organiseren – daarmee bedoel ik: akoestische concerten, met muziek waarin niet alleen klank maar ook stilte belangrijk is, begrijp je?'

Dat begreep ik maar al te goed. Naast mij knikte pa voorzichtig.

'Naar aanleiding van wat er recent is gebeurd, en gezien de enorme media-aandacht voor alles wat met geluidsoverlast te maken heeft, kunnen wij niet langer afzijdig blijven en zouden wij dat idee… zeg maar opentrekken…'

'Opentrekken', echode Stef.

'Precies. Wij willen – op heel korte termijn – een concert organiseren ten voordele van een aantal initiatieven tegen geluidsoverlast, een Stilteconcert. Daarmee willen we natuurlijk onze komende concertreeks promoten, dat spreekt voor zich, maar… We zouden een deel van de opbrengst van dat concert aan jou schenken, om daarmee de schadevergoedingen te betalen. Ik zeg niet dat het bedrag zal volstaan als alle claims waarmee wordt gedreigd ook daadwerkelijk worden ingediend, maar het zal alleszins al een flinke slok op de borrel schelen.'

Pa begon wat onrustig op de bank heen en weer te schuiven. 'Een benefietconcert dus', vatte hij samen.

'Precies, ja, een benefietconcert', nam Stef weer over. 'Ik heb een aantal vrienden van mij, muzikanten, bereid gevonden om gratis mee te werken.'

Niet te geloven: buurman Stef rook media-aandacht voor zichzelf en zijn muzikale vrienden, en prompt zette hij zijn schouders onder een benefietconcert tegen lawaai.

Pa staarde voor zich uit. 'Mja', zei hij. 'Maar vinden jullie niet dat er iets… euh… botst?'

Posman ging wat meer rechtop zitten. 'Botsen? Wat botst er dan?'

'Wel… euh… mijn zoon heeft de voorbije weken inderdaad heel wat ondernomen om geluidsoverlast aan te kaarten, en daarin steun ik hem… Maar natuurlijk… Hij heeft ook dingen gedaan die absoluut niet goed te praten zijn. Ik denk dat we het daar wel over eens zijn, niet?'

Stef tuurde naar de tippen van zijn laarsjes, Posman knikte behoedzaam, ik staarde tussen hen in naar buiten, naar de viooltjes langs onze oprit.

'Kijk', begon Posman – en hij wees naar mij. 'Ik denk dat Ludovic dat ook wel beseft. De manier waarop was niet altijd gepast. Maar hij, en hij alleen' – hij wees nu nog nadrukkelijker – 'heeft iedereen aan het denken gezet. Ludovic, 16 jaar oud. Op tv! Op de radio! In de kranten, iedereen heeft het erover!' riep Posman.

'Jullie hebben zelf gezien hoeveel reacties er in de kranten verschenen', vulde Stef aan. 'En dat was nog maar een klein deel van alle reacties – geloof me, onze mailbox puilde uit. Eerst was er nog flink wat verontwaardiging na wat er op de Stadsfeesten was gebeurd, maar daarna… Alleen maar positieve reacties. Vandaag kwam iemand zelfs met het idee om een soort steunfonds op te richten, om de schadevergoedingen te helpen afbetalen.'

Posman leunde glimlachend achterover. 'En uiteraard heb ik ook flink wat connecties, hier in de stad. Geloof me maar: sommige schadeclaims zullen nog worden ingetrokken, zeker gezien de media-aandacht en de bijval voor jouw acties. Het is helemaal aan het kantelen.'

'Maar... hoe denken jullie genoeg mensen op de been te brengen?' vroeg pa zich openlijk af. 'Dat lijkt me toch niet echt een concert waarvoor de mensen storm lopen?'

'Zoals gezegd: ik heb wel mijn connecties. Er zijn genoeg kanalen om mensen op de been te brengen', zei Louis wat geheimzinnig. 'Uiteraard verwacht ik jullie ook op het Stilteconcert – maar wees gerust: jouw anonimiteit blijft gewaarborgd.'

'Absoluut', zei Stef stil.

'En?' Posman keek mijn vader en mij om beurten aan.

'Ja. Natuurlijk. Geweldig', vatte pa het in drie woorden samen. 'Niet, Ludovic?'

'Ja. Zeker...'

'En bovendien...' Posman sprak nu met beide armen voor zich uit in een pauselijke pose. 'Voorzien wij als apotheose van de avond de uitvoering van een héél bijzonder muziekstuk. Je zal dat bijzonder naar waarde weten te schatten, Ludovic, dat kan ik je nu al beloven. Het is iets… apart', knipoogde hij. 'Héél apart.'

'Welke muziek is het dan?'

Posman grijnsde. 'Je zal het wel horen. Of net niet… Maar goed, wat vinden jullie? Iedereen akkoord?'

Er werd instemmend gemompeld.

'Dan hebben we een akkoord!' vatte Stef samen. Hij schudde pa en mij vormelijk de hand. 'Ik wist dat ik op jullie kon rekenen. Zoals men altijd zegt: een goede buur is beter dan een verre vriend, niet?'

In de dagen erna doken de eerste affiches op in het straatbeeld. In een gratis stadskrantje stonden paginagrote advertenties. Stef en Posman waren te gast in *De Slotshow, Actueel!*, *Zwaan & Winterman* en *De Wereld Draait Rond,* populaire talkshows op tv. Stef vertelde hoe hij de Soldaat van de Stilte had geïnterviewd en daarmee aan de basis had gelegen van de hele 'volksbeweging' die nu op gang was gekomen en die ging 'culmineren' in een groots concert van de Concertvereniging. Posman lichtte gretig zijn komende concertreeks toe en ging verwoed in discussie met een andere praatgast die zich afvroeg sinds wanneer vandalen en saboteurs zoals de Soldaat van de Stilte werden gesteund door een gesubsidieerde Concertvereniging. Even hartstochtelijk eindigde Posman de discussie met een oproep om méér subsidies te krijgen, zeker nu hij zich met zijn concertreeks 'maatschappelijk geëngageerd' toonde.

4' 33"

Het benefietconcert was een maand later. Dankzij een zorgvuldig uitgekiende mediastrategie van de Concertvereniging was de zaal met 850 plaatsen volledig uitverkocht, er was zelfs sprake van een tweede Stilteconcert, de week erna. Het stadsbestuur, jongerenverenigingen, belangengroepen, muzikanten, bedrijven en enkele derderangs tv-figuren hadden zich om uiteenlopende redenen – imago en bekendheid waren de belangrijkste – achter de opzet van het concert geschaard. Met de opbrengst kon al een flink deel van de schadeclaims worden terugbetaald, maar misschien niet allemaal. Er doemden maanden vol klusjes en vakantiewerk op.

Wat voelde het vreemd aan: een concert ten voordele van mij, maar toch wist niemand wie ik was, niemand wist dat ik de Soldaat van de Stilte was geweest. Als minderjarige die bij een misdrijf betrokken was, hoorde ik ook onbekend te blijven. Stef wist het, organisator Posman van de Concertvereniging wist het, Max wist het, mijn ouders wisten het, de politie wist het beter dan wie ook. Verder niemand, dacht ik. Op school was er achteraf nog amper over de sabotage van de Stadsfeesten gesproken. Niemand had mij nog gevraagd of ik er écht niets mee te maken had – wellicht geloofden ze toen echt niet meer dat ik er toe in staat zou zijn. Even was het Stilteconcert ter sprake gekomen; Korneel had gefoeterd dat 'die hele discussie over gehoorschade nu wel mocht ophouden' en dat het concert 'een commerciële bedoening voor watjes' was.

Ik zag de burgemeester en andere politici, ik zag journalisten, ik zag een paar bekende koppen. Stef stond, als mede-initiatiefnemer, in het brandpunt van de belangstelling en genoot zichtbaar. Hij stond een cameraploeg van het tv-nieuws te woord terwijl ik in de entreehal in een rek met flyers en brochures over volgende concerten snuffelde. Ik las over een jazzpianist en een liedje dat *Saying goodbye on a small old ugly white piano* heette. Toen hoorde ik achter mij een vertrouwde stem.

'*Hei.*'

'Alina?'

'*Olen kyllä.* Ik.'

Ik was totaal verrast. 'Ik wist niet dat je kwam... Je hebt er toch niets over gezegd?'

'Nee. Jij toch ook niet? En toch wist ik dat je hier zou zijn.'

'Ja…?'

'Komaan, jij mocht hier toch niet ontbreken?'

'Je bedoelt: op een Stilteconcert?'

'Ja, maar ook: uiteindelijk is het toch ook een beetje jóúw concert, niet?'

'Hoezo?' vroeg ik nog, al wist ik maar al te goed wat ze bedoelde.

'Maak je maar niet ongerust: ik zal niet verklappen dat jij het was, die Soldaat van de Stilte.'

'Niemand heeft t...'

'Max heeft het me verteld – op voorwaarde dat ik zou zwijgen als een graf. Vind je 't erg, dat ik het weet?'

'Nee, waarom zou ik? Maar vind jij het erg, dat ik het was?'

'Eerlijk... Ergens was ik niet verbaasd. En toch ook wel, een beetje. Ik wist niet dat je zoveel lef had. Je hebt in elk geval aardig van je doen spreken.'

'Mja… Al was de manier waarop misschien niet altijd zo goed gekozen.'

'De boodschap is overgekomen, dat wel.'

Alina glimlachte, maar de glimlach vluchtte snel weer van haar gezicht. De glimlach was maar een verpakking. Ze stond er onwennig bij.

'Ludovic, ik moet je ook wat vertellen... En ik wil niet dat je het van een ander hoort.'

'Over jou en Korneel?'

'*Älähän nyt!*, Korneel en ik... dat is niets. *Ihan totta*. Ik hoef die wijsneus niet meer. Nee: het is iets anders.'

Ze keek wat bedremmeld, mijn hart sloeg een tel over. Ieder woord dat ze sprak telde nu, maar ik moest mij hard concentreren om haar te verstaan door het geroezemoes in de achtergrond. 'Wat is er dan?'

'Ik ga terug naar Finland. Volgende maand al.'

'Hoezo, je gaat terug? Waarom?'

'Pa wordt teruggeroepen naar het hoofdkantoor – het gaat niet goed met Nokia. En ja, wij gaan mee terug: ik, moeder, mijn broertje. We wisten dat het kon gebeuren, maar het is wel vroeg. En onverwacht.'

Het geroezemoes in de hal van de concertzaal viel weg. Het concert ging beginnen en het grootste deel van het publiek was al binnen. De stem van Alina echode in een hoge, nu bijna lege ruimte van beton en glas.

'Spijtig…', mompelde ik. 'Zo plots...'

'Ja… en toch. Ergens… ben ik ook opgelucht. Eigenlijk heb ik Finland altijd gemist. En ja, je hébt gelijk: alles is hier zo luid. Dit is mijn land niet.'

Ik friemelde aan het foldertje dat ik nog altijd vast had. Ik vond geen woorden meer.

'Het spijt me. *Olen pahoillani.*'

'Net nu ik zelf wat Fins begon te kennen', zei ik, en ik probeerde me de woorden te herinneren die ik zo vaak had geoefend, die ik zo vaak voor me uit had gesproken, maar die me daar in de entreehal van de concertzaal, zo onverwacht en onder de indruk van het slechte nieuws, ontglipten en die op dat moment zo overbodig en ontoereikend leken.

Organisator Posman had woord gehouden: in de Concertzaal was er geen elektronische versterking, geen walls of sound. De muziek klonk daardoor zachter dan veel toeschouwers gewend waren, maar ze klonk ook anders, rijker, er werd met meer aandacht

geluisterd. Het bleek opnieuw: hoe minder er is om naar te luisteren, hoe beter je kunt horen. Het was muziek die ik niet kende en
ze klonk allemaal best aardig, maar toch ging het concert wat aan
mij voorbij. Ik leek wel verdoofd. In mijn hoofd klonk andere
muziek, die beter aansloot bij wat ik toen voelde. *Für Alina*, ooit
geschreven als afscheidscadeau voor een meisje dat naar het buitenland vertrok.

Het hele Stilteconcert, de woorden van Alina - het drong niet echt
tot me door, toen nog niet. Nu wel, nu ik het allemaal vertel en
straks, als ik mp3'tjes mail die zullen weerklinken op Alina's
kamer, bij haar thuis in Järvenpää. Ik stuur haar muziek waarin
de stiltes belangrijk zijn, waarin stemmen fluisteren en cello's
zwelgen in klanken die zij misschien nog beter hoort dan ik. Zij
stuurt muziek van Kimmo Pohjonen, van Loituma, Juha Tapio en
van Sibelius, de man die ook in Järvenpää werd geboren en die
muziek schreef die tegelijk warm en koud is. Ik luister ernaar terwijl ik op de schokkerige beelden van de webcam Alina zie, en
achter haar het adembenemende Finse landschap waarover ze in
haar spreekbeurt had verteld. Ik hoop dat ik de muziek even mooi

hoor als ze bedoeld is, maar ik weet dat het niet zo is. De tuut bleef dan wel weg, de gehoorschade herstelde zich niet meer en zal dat volgens dokters ook niet meer doen. Een gesprek volgen in een rumoerige omgeving lukt nog altijd niet, ik merk dat ik de tv nu harder zet.

Aan het eind van het Stilteconcert kwam Louis Posman het podium op. Hij vertelde over de opzet van het concert, over de muziek die er was gespeeld en over de subsidies voor zijn Concertvereniging - toch wel een volle vijf minuten. Toen schraapte hij zijn keel: 'Het laatste nummer dat wordt gespeeld, zal je niet terugvinden in het programmaboekje – het moest een verrassing blijven. De muziek is speciaal gekozen voor de jongen die we vandaag met dit concert willen steunen: de zogeheten Soldaat van de Stilte. Hij heeft de voorbije maanden gestreden voor minder lawaai in deze stad, voor minder decibels. Beste mensen, u zal het met me eens zijn: sommige acties waren best grappig, andere op het randje en nog andere waren ronduit onverantwoord. Toch heeft hij ons aan het denken gezet over een wereld waarin zoveel te horen valt dat we soms niet eens meer luisteren.

Daarom het nu volgende muziekstuk… Het wordt u gebracht door alle muzikanten die u vandaag aan het werk heeft gehoord en ze spelen allemaal samen. Het is muziek van John Cage. De titel is: *4 minuten en 33 seconden*, en zo lang duurt het ook.'

Alle muzikanten kwamen terug op het podium, met hun instrumenten. Ze gingen naast de piano staan, de pianist ging aan het klavier zitten alsof hij hen ging begeleiden. Hij zette een partituur voor zich, strekte zijn vingers. Het werd stil. De pianist keek de muzikanten aan, zij keken hem aan. Met een knikje van zijn hoofd gaf de pianist de opmaat. Op dat moment werd boven de hoofden van de muzikanten een tekst geprojecteerd.

U luistert nu naar 4'33",
het beroemdste werk van John Cage.
Het kan door alle mogelijke instrumenten
worden uitgevoerd.
Maar niemand mag ook maar één noot spelen.

Het is 'stille' muziek.

Luister naar de stilte, of naar het ontbreken ervan.
Want dat was volgens John Cage de echte muziek,
4'33" lang.

Gedurende die 4 minuten en 33 seconden klonk in de zaal van de Concertvereniging geen enkel instrument of geen enkele stem. En toch was het er verre van stil. Achterin de zaal was er geroeze-moes; enkele mensen begrepen niet goed wat er gebeurde en fluis-terden elkaar iets toe. Na een halve minuut trilde een gsm en viel een programmaboekje op de grond. Een stoel kraakte, schoenen schoven over de vloer, een dametje klikte haar tas open en viste er een zakdoek uit. Een fototoestel klikte. Het piepen van een deur helemaal achterin: iemand van het zaalpersoneel stak zijn hoofd naar binnen omdat hij het zo verdacht stil vond. Zo werd ook het gerinkel hoorbaar van glazen die werden klaargezet voor een receptie achteraf. In de coulissen viel iets omver. 'Ssst!' fluisterde een technicus achter het podium, duidelijk hoorbaar. Iemand lachte. Een ander hoestte. Maar al die tijd was iedereen één en al oor.

Na 4 minuten en 33 seconden maakten alle muzikanten op het podium een buiging, zonder één noot te hebben gespeeld. Zo eindigde 4'33", het muziekstuk vol stilte die geen stilte was.

Concertorganisator Posman begon te applaudisseren. De mensen naast hem volgden, daarna ook de rijen voor en achter hem en ten slotte de hele zaal. Iedereen klapte voor de zangers die hadden gezwegen, voor de muzikanten die hun instrumenten niet hadden aangeraakt, voor de componist die een partituur leeg had gelaten. De muziek was gemaakt door de geluiden van de mensen in de zaal. Eigenlijk applaudisseerde iedereen voor zichzelf. En ook wel een beetje voor mij.

43% van de jongeren heeft na het uitgaan 1 tot 12 uur last van een fluittoon, wat wijst op gehoorschade.*

1 op de 4 jongeren keert terug van een popfestival met blijvende gehoorschade.**

* 'Amai, mijn (h)oren', uitgave van de provincie Oost-Vlaanderen, 2010

** Netwerk (NCRV), 23/7/2007

TOT SLOT

Mijn dank gaat uit naar Frank Dewagtere (hoofdinspecteur van de unit jeugdcriminaliteit van de politie Gent), Maritta Moisio (docente Fins aan de Universiteit Gent), Maximiliaan Aelvoet (IT-wizard), Chris Sijbers (directeur) en Ellen De Bock (psychologe) van het Revalidatiecentrum Sint-Lievenspoort in Gent, dokter Judith Vermeiren, de firma Lapperre en iedereen bij uitgeverij Abimo. (Klaas!) Even groot is mijn dank aan alle proef- en nalezers voor hun afwisselend ongezouten en gepeperde commentaar.

Elke gelijkenis met bestaande personen, organisaties of plaatsen is toevallig.

Om niemand op nodeloze kosten te jagen: de Tv-B-Gone bestaat echt, maar werkt bij mijn weten alleen bij analoge tv's.

Meer info:
- Op de site van de NVVS, de Nederlandse Vereniging Voor Slechthorenden (www.nvvs.nl/tinnitus) staat heel wat duidelijke informatie over tinnitus en gehoorschade.

- De nieuwe wetgeving in verband met geluidsnormen voor (dans-)cafés en festivals vindt u op http://www.lne.be/themas/ hinder-en-risicos/geluidshinder/beleid/muziek.

Doorheen het boek weerklinken op gepaste en ongepaste tijden flarden uit:

I gotta feeling, Black Eyed Peas. Interscope, 2009.

Gangsta's Delight en Death to my enemies,
50 Cent. Interscope, 2009.

Smack my bitch up, Prodigy. XL, 1997.

Bonkers, Dizzee Rascal. News, 2009.

When the rain begins to fall,
Jermaine Jackson en Pia Zadora. Arista, 1984.

Für Alina is gecomponeerd door Arvo Pärt. Van Kimmo Pohjonen zijn heel wat filmpjes te vinden op YouTube.

Het fragment uit het gedicht van Jan Hanlo komt uit zijn Verzamelde gedichten (Oorschot B.V., 2006).

Piet De Loof, 2011

piet.de.loof@gmail.com
www.pietdeloof.be